D1028728

UN DIEU
POUR L'AN 2000

Juan Arias

UN DIEU
POUR L'AN 2000

Contre la peur — pour le bonheur

Poèmes de Roseana Murray

Traduit de l'anglais
par Gérard Dionne

FIDES

Données de catalogage avant publication (Canada)

Arias, Juan

Un Dieu pour l'an 2000 : contre la peur, pour le bonheur

Traduction de : Un Dios para el 2000.

ISBN 2-7621-2075-6

1. Dieu   2. Expérience religieuse.
3. Religion et civilisation.   4. Âme.
I. Murray, Roseana, 1950-   . II. Titre.

BT102.A7414 1999   231   C99-941582-4

Dépôt légal : 4ᵉ trimestre 1999
Bibliothèque nationale du Québec
© Éditions Fides, 1999, pour la traduction française
© di Cittadella Editrice - Assisi
Les Éditions Fides remercient le ministère du Patrimoine canadien du soutien
qui leur est accordé dans le cadre du Programme d'aide
au développement de l'industrie de l'édition.
Les Éditions Fides remercient également le Conseil des Arts du Canada
et la Société de développement des entreprises culturelles du Québec (SODEC).

IMPRIMÉ AU CANADA

Dieu est le silence de l'univers,
et l'homme, le cri qui donne sens à ce silence

José SARAMAGO

Préface

La fin du siècle marque le succès de Dieu, affirme Juan Arias en faisant le point sur ce qui se passe dans la culture mondiale. En réalité, nous assistons à un retour du mystique et du religieux dans toutes les couches de la société. L'émergence d'une nouvelle civilisation de caractère planétaire implique une nouvelle expérience de Dieu.

La nouveauté de cet essai réside dans la tentative de circonscrire les principaux traits d'une telle expérience dans une tension dialectique, comme l'affirment les titres mêmes des différents chapitres du volume : par exemple, « Le Dieu qui s'éprend de l'homme », « Le Dieu qui aime toutes choses », « Le Dieu de la poésie et de la littérature », « Le Dieu de l'humour », « Le Dieu femme et mère », « Le Dieu d'Internet », « Le Dieu que nous portons en nous ».

Ce livre nous convainc que l'on est en train effectivement de faire l'expérience d'un Dieu ami des êtres humains, libérateur de toutes les peurs, serviteur de ses créatures, épris de tous les êtres, capable de compassion et d'accueil pour tous, qui habite dans l'intimité de l'univers et veut naître à tout moment dans le cœur humain, pour être la raison de toute passion, l'irradiation de tout amour, le sens de l'insatiable recherche de ce même cœur.

Juan Arias situe l'irruption de Dieu dans le cadre d'un nouveau paradigme en train d'émerger, paradigme olistique et écologique, intégrateur du masculin et du féminin, de l'humain et du cosmique, du matériel et du spirituel. Il affirme, avec raison, que le XXIe siècle sera le siècle de la femme et de la spiritualité. En fait, la femme détient la vocation messianique de racheter dans l'homme et la femme la dimension de l'*anima**, si réduite et reléguée dans la culture patriarcale, et ce depuis le néolithique.

La dimension de l'*anima*, c'est la capacité d'être attentif à la vie et à son mystère, de capter l'unité complexe du réel, de déchiffrer le message secret de chaque être — depuis la clarté des yeux d'un enfant jusqu'à la supplication des yeux compatissants d'un chien abandonné —, la compassion pour ceux qui souffrent, le ravissement toujours renouvelé devant la nature, l'ouverture à la tendresse et l'esprit de finesse dont parlait Blaise Pascal.

Sans cette récupération de l'*anima*, la spiritualité, entendue comme l'expérience de la rencontre avec le Divin en toute chose et en Dieu lui-même, n'est pas possible. Ainsi comprise, la spiritualité imposerait des limites au pouvoir dévorant du projet de modernité, au projet de *dominium mundi*, et lui conférerait l'innocence nécessaire pour qu'elle se fasse service, en fonction d'une nouvelle alliance de synergie et de fraternité avec la nature et avec les humains. À partir de la revitalisation de l'*anima*, l'*animus* présent chez la femme et chez l'homme, c'est-à-dire la capacité de réorganisation et de pouvoir, cesserait

---

* *Anima* ici signifie l'âme au sens fort du terme ; tandis que *animus* désigne l'esprit constructeur de l'être humain. C'est Claudel (dans *Position et propositions*) qui, le premier, a effectué cette distinction épistémologique. *NdT.*

d'être destructeur pour devenir, en compagnie de l'*anima*, principe de construction de l'humain intégral. Le XXIᵉ siècle sera féminin ou il ne sera pas.

Nous savons que dans la tradition de nombreuses cultures et du judéo-christianisme il existe une affinité entre la dimension de l'*anima* et l'Esprit, celui-ci étant perçu comme féminin du fait qu'il est Esprit de vie et générateur de toutes les formes de vie. Dans la mesure où l'on créera les conditions pour la réanimation de l'*anima*, il y aura plus de place pour la spiritualité et pour la perception de l'Esprit, tant dans le mouvement de l'univers que dans la profondeur de l'esprit humain.

Les pages les plus brillantes de Juan Arias sont celles qui sont consacrées au « Dieu que nous portons en nous ». Fidèle au témoignage des grands mystiques de toutes les traditions, l'être humain, dans sa radicalité ultime, est le Dieu intime que nous cherchons en dehors de nous. Nous sommes tous Dieu par participation. Assumer cette dignité avec humilité est bien plus difficile que de se confier au Dieu des religions et des doctrines spirituelles. Mais une telle perception, qui fut celle de Jésus de Nazareth, implique que l'on entre en relation d'une manière différente avec chaque être humain : c'est voir en lui le Dieu qui se révèle constamment, la communication de son ineffable réalité.

Que le lecteur ne pense pas que le présent texte manque de profondeur parce qu'il sort de la plume d'un journaliste international bien connu. Grave erreur. Sous un style élégant et fluide, plein de métaphores suggestives, on trouve d'abondantes lectures, une observation attentive de la réalité, une réflexion vigoureuse. L'auteur se sert d'une théologie avisée, œcuménique, ouverte à toutes les manifestations du Sacré présentes dans les recherches humaines de tous les temps. Le savoir qu'il manifeste ne lui enlève pas du tout la capacité de recueillir le mystère fascinant qui se cache derrière tout phénomène, la tendresse essentielle qui se cache en tout signe de vie.

Juan Arias ne parle pas de nouveauté sans se montrer lui-même neuf dans sa façon d'être, de s'exprimer, de faire l'expérience de Dieu. Dans ce livre, il nous aide à effectuer la traversée vers un nouveau siècle et à nous situer valablement à l'intérieur de ses meilleures promesses.

Les poésies inspirées de Roseana Murray qui accompagnent le volume révèlent une délicate harmonie avec cette nouvelle expérience de l'univers et du mystère qu'il recèle, Dieu, l'intimité du tout et de chacun de nous.

Leonardo Boff
Rio de Janeiro,
Pâques 1998

Avant-propos

MILLÉNAIRE

Assise ici
en cette fin de siècle
comme à la proue
d'un navire
sous l'océan
bordé d'arbres
décapités.
Tout se défait :
le ciel où brillaient
auparavant les songes
n'est rien d'autre
qu'un vide immense
quand les morts
cherchent leur voix.
Qui sait si dans quelque flacon
on retrouvera encore
une parcelle d'étoile
et si s'apaisera
la panique.

Roseana Murray

Il y a plusieurs années, j'ai écrit un petit ouvrage intitulé *Le Dieu auquel je ne crois pas*. Aussi bien dans l'édition originale que dans toutes les traductions qu'on en a faites par la suite, le mot *ne* [ou *non*] du titre était imprimé en rouge. Un jour, alors que je revenais d'Assise, après une présentation émouvante faite avec mes amis de la *Pro Civitate Christiana*, un exemplaire du livre était resté sur la banquette du train où je me trouvais. Quelques femmes le regardaient avec curiosité et méfiance. L'une d'elles s'arma de courage et me lança : « Excusez-moi, c'est un livre pour ou contre ? »

En réalité, ce livre n'était ni pour ni contre, c'était seulement un livre de réflexion. À cette époque, la société était agitée par le vent de libération de 1968, alors que le concile Vatican II, avec ses ouvertures, commençait à porter des fruits dans l'Église. Bien des jeunes ayant atteint l'âge de raison, prisonniers d'une conception rigide, craintive et inquisitoriale de la religion, commençaient à libérer leur conscience. Leur premier pas avait été de chasser loin d'eux toute une série d'images négatives de Dieu qui les écrasaient. Dans les nombreux colloques et conférences que j'avais vécus avec eux, ils avaient l'habitude de s'exclamer : « Je ne peux pas croire en un Dieu qui condamne quelqu'un à un enfer éternel. Quel père ce serait ! », ou encore : « Je ne peux pas croire en un Dieu qui condamne la sexualité, ou qui préfère la souffrance à l'amour », ou « en un Dieu qui ne soit qu'un juge ». J'avais recueilli cent images négatives de ce Dieu que ces jeunes, y compris des croyants, se sentaient poussés à refuser par fidélité à leur conscience.

J'ai reçu des milliers de lettres en tous genres, depuis celle d'un évêque scandalisé, jusqu'à celle d'un nonce, devenu ensuite cardinal, qui m'écrivit de Dakar, me congratulant de la façon suivante : « Avant le Concile, vous n'auriez pu écrire un tel livre. Félicitations. » Mais, par-dessus tout, je me souviens de la lettre d'un jeune couple, parents de deux petits enfants. Ils m'écrivaient : « Nous ne sommes pas croyants. Mais nous avons lu votre livre avec attention et nous l'avons conservé, car si un jour nos enfants décidaient de croire, nous aimerions que ce soit en ce Dieu-là, et non pas en celui qu'ils nous ont prêché et qui nous a amenés à abandonner la foi. »

Curieusement, je ne parlais d'aucun Dieu en particulier. Après avoir dénoncé tant de fausses images de Dieu qui sont véhiculées de par le monde, je concluais en disant : « Mon Dieu est un autre Dieu », mais sans spécifier lequel. J'étais surtout intéressé, alors, de dire en quel type de Dieu je ne croyais pas.

Après bien des années, la même maison d'édition me demande un autre livre : cette fois-ci sur ce que pourrait être le Dieu en qui on croira au cours du troisième millénaire. En d'autres termes, on me demande quels seront les sentiments religieux et spirituels des gens qui entreront dans le nouveau siècle, après les expériences du siècle en train de se terminer et au cours duquel on s'apprêtait à pronostiquer la mort de Dieu.

Je suis conscient qu'il est bien plus facile de dire en quel Dieu on ne croit pas que de dire en quel Dieu on croit, si l'on croit. Il en a toujours été ainsi au cours de l'histoire. Écrire sur le Dieu que le nouveau millénaire pourrait accepter, c'est entrer dans une démarche difficile, étant donné que l'idée de Dieu ne sera pas séparée de l'idée de civilisation et de société qui est en train de se développer. Car chaque époque historique a l'habitude de se créer son Dieu ou de le tuer.

Comme lors de ce premier livre, je n'ai rien fait d'autre aujourd'hui que de recueillir les sentiments et les opinions des gens qui m'entouraient. Cette fois-ci également, j'ai voulu faire le point sur ce que pensent et craignent les amis et les lecteurs avec lesquels j'ai engagé un dialogue sur ces questions. Je n'ai pas tant cherché à esquisser une certaine image de Dieu pour les hommes et les femmes du troisième millénaire qu'à découvrir quel type de religiosité — puisqu'on prétend que le sentiment religieux est à la mode en cette fin de siècle — désirent ceux qui ne refusent pas la dimension spirituelle de la vie, et quel type de Dieu ceux qui n'ont pas ces exigences religieuses peuvent accepter, ou à tout le moins ne pas refuser culturellement.

Dans ce livre, il sera question de l'attitude face au divin de ceux et celles qui se préparent à affronter le prochain siècle, qui sera à tous points de vue un siècle de transition. Ces gens sont souvent déçus par le siècle qui s'achève et se demandent avec crainte ce que le siècle à venir réserve à leurs enfants. Ils sont également soulevés par l'espérance, manifeste ou cachée, que le monde sera moins cruel, plus solidaire, capable de faire à chacun la place qui lui revient. Ces femmes et ces hommes rêvent de réconciliation avec eux-mêmes, avec la nature et avec Dieu. Avec un Dieu qui cesse de les juger et de toujours les condamner, avec un Dieu capable d'accepter l'être humain tel qu'il est, avec ses grandeurs et ses misères, et de l'aider pour que sa vie sur cette terre soit moins malheureuse que celle vécue jusqu'à maintenant, par la faute des dieux du passé.

Je le répète, ce livre ne sera ni pour ni contre quoi que ce soit, ni pour ni contre qui que ce soit. Ou mieux, oui, il est contre la peur et pour le bonheur. Ce n'est pas non plus un livre de théologie qui pourrait effrayer les gardiens de la foi. Il s'agit seulement d'une réflexion personnelle, presque littéraire, faite à haute voix pour mes amis et pour ceux et celles avec qui j'ai conversé tant de fois et qui, en cette fin de millénaire, m'ont demandé de mettre par écrit mes réflexions.

Les poésies de Roseana Murray

Chaque chapitre de ce livre est accompagné d'un poème de l'écrivaine et poétesse brésilienne Roseana Murray. Quand j'ai parlé d'un Dieu acceptable pour l'an 2000, j'ai toujours eu présent à l'esprit le tiers-monde avec sa pauvreté, ses problèmes et ses espoirs. C'est là, dans ce monde tellement oublié et exploité par le prétendu premier-monde — celui de l'opulence et du gaspillage —, que se jouera le destin de l'humanité au cours du prochain siècle et du nouveau millénaire.

Si j'ai voulu que la voix du tiers-monde se fasse entendre à travers la poésie, c'est que cette dernière contient toujours quelque chose de divin, comme cela apparaît plus loin dans ce livre. Et j'ai désiré que cette poésie fût une voix féminine, car, selon moi, le féminin jouera un rôle fondamental au cours du XXIe siècle, lequel d'ailleurs a déjà été appelé par quelqu'un le « siècle de la femme » (ces grandes pauvres de l'histoire étant en train de prendre conscience de leur marginalisation et de conquérir leur dignité).

Ce livre parle de la nouvelle théologie de l'écologie, du retour au pacte que l'homme avait fait avec mère Nature et qu'il a tragiquement trahi dans son égoïsme. La poésie de Roseana témoigne de ce nouvel amour que l'homme du troisième millénaire est en train de découvrir pour ses racines, qui font de lui le fils du limon de la terre et des atomes du cosmos. On parle peu de Dieu dans ces poèmes, mais chacun des versets laisse transparaître une présence mystérieuse et tendre, celle de ce Dieu que nous portons en nous-mêmes — et qui est davantage le Dieu de la compassion que le Dieu de la peur.

Je sais gré à Roseana d'avoir généreusement voulu donner à ce livre la voix, le gémissement, la douloureuse et douce espérance du tiers-monde qui, malgré tout, a tant à enseigner aux habitants orgueilleux du premier-monde de l'opulence.

1

Dieu reviendra-t-il à la mode en l'an deux mille?

FIL

Il faut récupérer le lin brut
du silence,
sa trame et son grain,
les chemins solitaires du silence
habités par la mémoire.
Et la grande soie, quasi en ruines,
des mers
où la lune se fait poisson,
doit être récupérée
barque après barque,
fil après fil,
pour pouvoir être rêvée une autre fois.
Il faut récupérer le partage du pain,
la carte écrite dans la peau
de l'autre,
son intimité et sa partition,
faite du même tissu
que les étoiles.
Et alors, devant le feu réinventé,
devant le soleil, le vent, la pluie,
étendre les mains.

Roseana Murray

Dieu ne fut pas à la mode au cours du siècle qui se termine. On est même allé jusqu'à prophétiser sa mort. Ressuscitera-t-il en l'an 2000 ? Et avec quel visage ? On a trop fait de caricatures de Dieu pour se risquer à imaginer sa nouvelle image. Ce fut un dieu cruel : celui des camps de concentration, du quart-monde de la faim, du mépris de la nature et des millions d'enfants morts sous-alimentés, celui de l'Inquisition pour tous ceux qui ne pensaient pas comme les Églises du pouvoir, celui qui a étouffé tant de consciences individuelles. Ce fut aussi celui des nombreux martyrs laïques et religieux qui ont donné leur vie pour la défense des laissés-pour-compte, au point d'être destitués et parfois persécutés par ceux qui se réclamaient de l'image officielle de Dieu.

Vivre sans Dieu fut considéré par un grand nombre comme une vraie libération. De la même façon que la multitude qui se divertit autour du fou dans le récit de Nietzsche, beaucoup se sentent indifférents devant la perspective d'une vie sans Dieu. D'autres pensent que son absence procure un soulagement positif. Au début du siècle, Jean-Paul Sartre parlait du vide que Dieu avait laissé dans la conscience humaine où il avait toujours été. Mais il soulignait aussi que si Dieu existait, il faudrait le réfuter de toute façon, puisque l'idée de Dieu s'oppose à notre concept de liberté. Et Albert Camus en est arrivé à proclamer un athéisme héroïque par amour de l'humanité. Et pourtant, comme l'affirme la théologienne Karen Armstrong, « un athéisme passionné et engagé peut être plus religieux qu'une foi attiédie ».

Oui, le visage de Dieu, source de terreur et d'espérance, continue de se montrer derrière les plis de l'histoire. En chaque être humain, il y a un dieu caché à qui chacun donne un nom, même ceux qui le nient ou le persécutent. Divinité faite à la mesure du cœur humain. S'agit-il d'idoles ou de vraies divinités ? S'agit-il de divinités engendrées par la conscience qui est le refuge le plus authentique de l'être humain ? Il est bien difficile de répondre.

On commence à construire des hypothèses et des prophéties sur l'an 2000. Pour certains, comme Juan Goytisolo, ce sera un « retour à la barbarie ». De son côté, S.P. Huntington, de l'Université Harvard, se montre plutôt pessimiste dans son ouvrage, paru récemment, *Le choc des civilisations*. Il y prophétise qu'une guerre mondiale entre les civilisations pourrait devenir inévitable, étant donné que l'Occident, avec ses prétentions universalistes, entre toujours plus en conflit avec les autres civilisations. D'autres, comme le philosophe Fernando Savater, sont moins pessimistes. Ils rappellent que, de la même façon que la bombe atomique est devenu un moyen de dissuasion pour éviter une nouvelle guerre mondiale, ainsi le choc des cultures pourrait jouer un rôle aussi explosif que le fut la désintégration de l'atome. Tous, nous allons faire l'effort, en l'an 2000, pour que surgisse un dialogue entre les cultures, les religions et les diverses civilisations, une solidarité mondiale qui nivelle les inégalités créées entre les peuples, et un désir plus grand d'éliminer les guerres par le dialogue, en vue d'arriver, si possible, à créer un gouvernement mondial des nations.

Pour ma part, je suis sûr d'une chose : le nouveau siècle

aura aussi son Dieu et ses dieux. Lesquels ? Il est difficile de faire des prophéties, même si certains écrivains et penseurs s'y sont risqués en affirmant que le prochain siècle ou bien sera mystique, spirituel, ou bien ne sera pas. « Nous tuons Dieu, a affirmé Camus, il ne nous reste que l'histoire et le pouvoir. » Malheureusement, l'unique histoire qui se transmet aux hommes est celle du pouvoir.

Dès lors, y aura-t-il à un retour à l'invisible après l'orgie d'images de notre siècle ? Il n'est pas sûr que l'homme, fatigué d'une civilisation moderne violente et étourdissante, cherche de nouveau refuge dans les religions, dans le mystère et dans l'intimité personnelle. Il est possible que, une fois étouffées la clameur du bruit excessif qui nous entoure et l'inflation de paroles creuses et d'images sans visage, l'homme finisse par se défendre et veuille aussi entendre la voix du silence, goûter un espace de solitude intérieure. Ernst Jünger n'a-t-il pas écrit que « le silence est plus profond que la parole » ? Et n'est-ce pas cela qu'ont toujours cherché tant de savants et d'artistes ? Jean de la Croix, poète et mystique, chanta la « solitude sonore » et la « musique silencieuse ». Car le silence n'est pas vide d'idées, et la solitude n'est pas un désert, mais bien plutôt la rencontre avec la partie la plus intime, la moins manipulée, de la personnalité humaine.

Récemment, dans le quotidien *El País* de Madrid, l'écrivain espagnol Vicente Verdú, bon analyste des tendances contemporaines, a avancé l'idée du succès de Dieu en cette fin de millénaire. « Maintenant, on peut croire en Dieu sans adhérer à aucune idéologie officielle », écrit-il. Et il ajoute :

> Dieu a récupéré son état naturel, transcendant, a-culturel et même scientifique. C'est une entité plastique qui s'adapte aux uns et aux autres, qui parle toutes les langues, se rencon-

tre dans les gymnases, dans le zen, dans les diètes, et qui accueille n'importe quel credo traditionnel. Il ne s'oppose à rien ni à personne, ne porte pas préjudice, ne punit pas comme un bourreau, ne surveille pas comme une police secrète, n'opprime pas, ne réglemente pas comme un code pénal.

Pour le chercheur espagnol, dans un monde dominé « par la trivialité et par la superficialité », où la culture a perdu sa place, il n'est pas étonnant que « Dieu soit en train de se construire un foyer auprès de millions et de millions d'habitants dont il avait été graduellement délogé par une culture qui a prétendu abolir le mystère des choses ». Et il conclut : « La fin du siècle marque le succès de Dieu. »

Je pense, en effet, que durant le siècle qui est sur le point de commencer, la mort de Dieu ne sera plus à la mode. L'homme du millénaire qui s'achève a trop vu de tragédies pour avoir la tentation de tuer le mystère. Il vaut mieux laisser ouvertes toutes les possibilités. Par ailleurs, si le prochain siècle se profile comme le siècle de la femme, Dieu peut y avoir de plus grandes espérances. Dépositaire des mystères les plus profonds de la vie et moins tentée par la trivialité dont parle Verdú, la femme aura plus de difficulté à tuer, et moins à être éloignée du mystère auquel, plus que tout autre, elle se trouve associée par les secrets ultimes de l'être et de la vie.

Il en coûte à l'homme de se libérer de Dieu

À vrai dire, il n'existe pas une seule société qui, globalement et communautairement, du moins dans un régime de libertés, ait réussi à s'affranchir de l'idée de Dieu. Et celles qui ont essayé de le faire par la force, punissant par la torture et même par la mort ceux qui avaient quelque chose à voir avec Dieu, ont dû se rendre à l'évidence : à peine avaient-ils déposé les armes de l'oppression et restauré les libertés que les dieux ont refleuri, plus vivants qu'avant.

De leur côté, les sociétés démocratiques qui ont réussi à mettre Dieu à l'écart, en le reléguant dans une sphère strictement personnelle, ont dû, après avoir proclamé la sécularisation, faire face à la résurgence de nouvelles divinités plus anciennes, plus païennes, plus aliénantes, sous formes de sectes ou d'obsessions idolâtres. En réalité, personne n'a encore été capable de tuer définitivement le mystère et le sacré, de la même façon qu'on n'a pas pu étouffer la détermination de l'homme à vouloir chercher, au-delà du temporel et du tangible, quelque chose qui le libère de la précarité, des angoisses et des peurs qui continuent de le menacer au cœur d'une société surmodernisée, opulente et scientifique.

Cela signifie-t-il que l'homme n'est pas encore suffisamment adulte pour vivre dans la solitude sans l'ombre d'une divinité protectrice ? Ou plutôt, y a-t-il quelque chose dans ses chromosomes qui le fait aspirer à une réalité supérieure à celle qu'il touche de ses mains ? Le jour viendra-t-il où l'homme se sentira apaisé, heureux et sûr de lui en étant simplement l'homme qu'il est, limité, mortel, tout-puissant et fragile à la fois ? Il est difficile de l'imaginer. L'expérience des siècles tend plutôt à montrer que l'homme change tout au plus le nom de ses divinités, qu'il les remplace par autre chose, mais qu'il ne réussit pas à s'en passer ou ne le veut pas. Tant que la mort continuera à exister, il y a lieu de penser qu'il ne sera pas facile d'en finir avec les dieux.

Une chose est claire, semble-t-il : le genre de vide que

laissent dans l'homme le désir d'immortalité et la conscience de ses limites, sans réponses définitives aux grands problèmes de la vie et de la mort, se remplit de Dieu ou cherche des substituts pour colmater ce trou noir qui le poursuit. C'est pourquoi on a écrit que « le crépuscule des dieux est l'aube des sorciers ». Il s'agit d'un espace que l'homme résiste à laisser vide. Et il en a été ainsi depuis que nous avons conscience des premières traces d'humanisation laissées sur terre. La première donnée qui apparaît étroitement unie à l'homme rationnel est celle d'un dieu, d'argile ou d'or, terrestre ou céleste. Ce peut être le tonnerre ou l'éclair, la chute du soleil dans l'abîme ou la naissance de la lune au firmament. Ou un personnage humain qui surpasse les autres.

Divinités qui se situaient entre la terre et le ciel, entre l'humain et le divin. Moitié homme et moitié mystère. Divinités ayant des passions et des vertus humaines, mais dotées de pouvoirs magiques. Divinités qu'en général l'homme a craintes et révérées, et a eu de la difficulté à aimer. Divinités incontournables pour expliquer les mystères dont l'homme n'avait pas encore percé les secrets ; divinités aussi qui ont reculé à l'occasion devant les capacités créatrices et libératrices de l'être humain. Divinités dictatoriales, despotiques, sanguinaires ou complaisantes dont il aurait mieux valu ne jamais voir l'existence et que, pourtant, l'homme cherchait en même temps à créer, les considérant comme indispensables. Sans elles, il se serait senti encore plus esclave et perdu. Dès le début, Dieu est apparu comme un paradoxe, tantôt fruit de la fantaisie, de la peur et du désir impérieux de l'homme de transcender la barrière du connu et de l'humain pour entrer dans la sphère de l'inconnu ou du divin, tantôt garant du pouvoir qui cherche à dominer les autres.

Les plus grands historiens et théoriciens des religions, de tendances très diverses — comme Émile Durkheim, Marcel Mauss, Georges Dumézil, Mircea Éliade et Claude Lévi-Strauss —, sont d'accord pour affirmer que l'idée de religion répond à certaines « structures profondes » de l'être humain. Et l'agnostique George Bernard Shaw en est arrivé à dire avec une certaine insistance que la religion est l'unique force motrice du monde.

Certains ont également supposé que l'humanité ne sera adulte, autosuffisante et en un certain sens immortelle que lorsqu'elle aura su se libérer du dernier dieu qui la garde soumise et l'empêche d'être autonome. Désormais, faire abstraction de Dieu ne devrait pas être difficile pour la société moderne qui a fait perdre au cosmos sa virginité en en détruisant, par ses horreurs, la poésie ancestrale et qui a atteint une puissance destructrice capable de tout anéantir. En défiant le ciel, notre société a déjà proclamé impunément la mort de Dieu. Les foudres de la divinité offensée ne se sont pas abattues sur elle. Malgré cela, faire abstraction du divin et du mystère demeure une entreprise ardue.

À l'encontre de tous les prophètes de malheur, le monde a continué à progresser tout au long de l'histoire. Comme l'a écrit Manuel Vicent : « Lorsque l'homme commence à avoir la nostalgie du passé, c'est qu'il a entrepris de mourir. » L'espérance est toujours devant nous, chez les plus jeunes, dans l'avenir. On dira ce que l'on veut, la femme a continué à progresser au cours du dernier siècle ; la science, la technologie, la psychologie le disent. Et l'homme est plus libre aujourd'hui qu'il y a un siècle. On pourra objecter : seulement en Occident. Certainement, mais cela ouvre aux autres mondes des possibilités de libération. Auparavant, on n'avait même pas d'espérance semblable parce que personne n'était libre. Or la liberté est comme un feu qui finit par se propager aux autres domaines, si éloignés soient-ils.

Un Dieu moins cruel

Les dieux doivent se présenter sous un nouveau jour parce que les Églises auraient du mal aujourd'hui à imposer les dieux cruels d'autrefois. Les consciences se sont libérées et, dans la société, l'agnosticisme n'est plus stigmatisé, pas plus d'ailleurs que le fait de croire.

Il est prévisible que lors du prochain siècle beaucoup de choses vont changer. De nouvelles réalités déjà en germe surgiront, il ne faut pas être devin pour les annoncer. Les sociologues parlent de tendances. L'homme sort d'une ère pour entrer dans une autre. Nous sommes en transition, dans les douleurs de l'enfantement. Il n'est pas difficile d'imaginer que l'homme du nouveau siècle, après avoir abandonné la nature à son destin violent, ou l'avoir humiliée avec arrogance, va être plus sensible à cette réalité comme à la maison dans laquelle il vit. Pour la première fois, l'homme a peur que la terre finisse par se transformer en un désert impossible à habiter, ou du moins à habiter avec bonheur. Pour la terre elle-même, cela ne changera rien, ainsi que l'affirme très justement Savater, car elle s'est violentée elle-même une infinité de fois au cours des millions d'années de son existence ; cependant, pour nous, il n'en va pas de même. C'est notre destin d'habitants de cette terre qui est en jeu. Il nous faudra trouver de nouvelles formes d'énergie et une autre manière d'habiter la planète pour éviter le malheur qui risque de nous tomber dessus.

Il n'est pas impensable non plus qu'après la barbarie des guerres de ce siècle et les crimes commis contre l'humanité, la nécessité d'un fort mouvement de solidarité entre les hommes et entre les peuples voie le jour. Face à un être humain capable de détruire la planète par la force de son intelligence et de ses conquêtes scientifiques, il est urgent de trouver de nouvelles formes de collaboration entre les nations, en instaurant un gouvernement mondial et en adoptant des mesures capables de contrer la force destructrice de l'égoïsme humain dont on n'a que trop fait l'expérience et qui n'a semé que mort et famine.

Il n'est pas non plus impensable qu'après la rude épreuve des dogmes et des anathèmes proclamés par les Églises et les fondamentalismes religieux de toutes sortes, et après l'oppression des consciences et de la foi par le moyen de la loi, s'impose la nécessité de rechercher des formes de religiosité moins cruelles qui ne soient pas en contradiction avec le bonheur humain et qui, si elles n'arriveront jamais à éliminer la souffrance, ne l'exaltent pas non plus comme indispensable à l'accomplissement de soi. Il est étrange que le traditionaliste pape Wojtyla ait osé dire que « Dieu ne viendra pas châtier l'humanité par un autre déluge ».

En effet, si la société, les coutumes, la manière de se situer dans le monde et même de vivre les rapports avec la nature se modifient, il n'y aura pas d'autre remède que de changer l'idée que l'on se fait de Dieu. Cela ne veut pas dire que les hommes des années 2000 se feront un Dieu sur mesure, mais que Dieu cessera d'être ce concept immuable qui nous a été inculqué. Si les modalités de vie et de rapports changent, la façon de concevoir Dieu, d'en faire l'expérience et de croire en lui changeront également. Lorsque les mots changent, le monde change et Dieu change.

Sans scandaliser qui que ce soit, on peut dire que chaque époque, chaque génération, chaque nouvelle révolution historique, chaque nouveau scénario mondial, chaque prise de conscience du monde et de son devenir ont besoin d'un nouveau Dieu, d'une façon différente de le concevoir. Dans la vie des hommes, Dieu est, d'une certaine manière, comme l'art, la littérature ou la musique, comme tout ce qui est profondément humain. C'est pourquoi chaque époque a sa musique, son Dieu et ses démons. Ce qui ne change pas, c'est une certaine insistance de l'homme dans la recherche d'une dimension qui, en quelque sorte, le transcende dans toutes ses activités, de l'activité artistique à l'activité religieuse, face à la menace de la vulgarité et du non-sens qui l'empêche de continuer à rêver. Continuons à qualifier de divin tout ce qui nous surprend, l'inaccessible et le sublime.

Un Dieu dont on n'aurait pas à rougir

Les analystes aiguisent leur regard pour deviner les tendances du nouveau millénaire. En réalité, il y a lieu d'être très prudent, car l'histoire est là pour nous rappeler qu'aucune des prophéties entretenues par les philosophes sur le siècle qui s'achève ne s'est réalisée. Personne n'a été en mesure d'imaginer ce qui allait se passer au cours de notre siècle. Il n'en demeure pas moins qu'il est inévitable que l'homme fasse des conjectures sur son avenir immédiat. Ainsi, un styliste japonais a soutenu que, comme le présent siècle a été celui des éléments solides, des objets, des machines, de l'acier, le prochain sera plutôt celui des liquides, plus utérin que celui qui s'achève, plus féminin, moins lié à la matérialité, plus fluide, moins enrégimenté, plus spirituel en définitive. C'est peut-être pour cela que l'homme entre dans le troisième millénaire en vivant une grave crise d'identité par rapport à la femme. Et nous ne sommes plus à l'heure des hypothèses, mais en face de quelque chose de tangible et de reconnu.

Il en va de même pour le mouvement de solidarité entre les êtres humains, qui opère parfois dans la clandestinité et parfois au grand jour, pour la croissance du volontariat parmi les jeunes et pour la naissance, dans le domaine religieux, de la soi-disant « théologie écologique et nucléaire » telle qu'elle est mise de l'avant par la théologienne nord-américaine Sallie McFague. Celle-ci, dans son ouvrage *Modèles de Dieu*, défend la thèse d'une remythologisation entre Dieu et sa création. Par ailleurs, elle critique le fait que même la théologie la plus moderne insiste sur les métaphores dépassées des modèles. Sallie McFague plaide pour un changement de métaphores. Selon elle, on peut aussi voir Dieu, par exemple, comme la mère, l'amant et l'ami du monde, et voir le monde comme le corps de Dieu. Et la théologienne de se demander pourquoi une vision de Dieu reflétée par ces nouvelles métaphores devrait être moins digne que celles qui représentaient Dieu comme « homme, roi et patriarche, et le monde comme son domaine ».

En définitive, ce que l'on désire pour les années 2000, c'est un Dieu qui soit plus féminin, moins oppresseur, plus aimant de la nature, plus proche de l'humanité, moins juge et plus mère, moins souverain et plus ami des hommes. Un Dieu qui ne scandalise plus mon ami chauffeur de taxi qui, un jour, me disait dans les rues de Rome : « Si j'étais Dieu, je mourrais de honte. »

2

Le Dieu qui nous apprend
à mourir avec sérénité

MIRACLE

Le miracle de la vie
comme un jet de veines
ouvertes,
de fleuves ouverts,
de cieux qui brûlent
dans tous les tons d'azur.
La vie dans l'absolue simplicité
du cocon et du papillon :
un filet d'eau
naît de la pierre,
un vol d'aigle
invente l'intense liberté.
Comme celui qui cherche de l'eau
froide et sonore
dans le puits derrière la maison,
posséder à peine l'essentiel,
posséder
non pas l'oiseau, mais son vol,
non pas les poissons
mais la direction de la rivière.
Et tout peut être
bonheur et vie.

Roseana Murray

Ce siècle, qui a jonché le monde de cadavres par des guerres horribles, a caché la mort sereine, normale, non violente. Les enfants ne voient pas les morts, ou ne les voient qu'à la télévision, et ce sont toujours des morts violentes et virtuelles. La ville a honte des morts et les mène au cimetière en cachette. Et même les cimetières sont de moins en moins à la mode. Il vaut mieux que tout finisse dans les crématoriums. Les morts dérangent. Il vaut mieux enlever la mort que la regarder en face.

Et pourtant, comme l'a écrit le philosophe Savater, « la culture existe parce que la mort existe ». L'aspiration à se perpétuer, le désir inconscient de survivre, l'idée d'éternité inséparable de l'être humain, conduisent les gens à construire, à créer, à procréer pour que quelque chose reste après eux. Pour ne pas disparaître complètement. Les animaux ne créent pas de culture, parce qu'ils ne savent pas qu'ils vont mourir. Cela fait partie de leur bonheur et s'ajoute à leurs limites.

Seul l'homme sait qu'il doit mourir et peut penser à la mort. Lorsqu'elle voit un enfant qui vient de naître, une personne âgée sait qu'elle ne le verra pas à l'âge adulte. Cette idée terrorisait un de mes vieux amis. Chaque fois qu'une petite-fille naissait, il commentait, bouleversé : « Je ne la verrai pas à l'âge adulte. » Une telle chose ne se produit pas chez les animaux, car ils sont privés de la perception de la mort. C'est seulement quand ils pressentent que les forces leur manquent qu'ils s'éloignent pour mourir seuls, et rien de plus.

Il est normal que les humains craignent la mort, qu'ils ne l'aiment pas. Je crois que ceux qui se vantent de ne pas en avoir peur sont des menteurs. Mais il ne faut pas confondre le fait d'être obsédé par l'idée de la mort (puisque nous devons tous un jour disparaître) et le fait d'être fasciné par la mort. Seul un grand désespoir peut faire désirer la mort. Celui qui vit un grand amour ne pense pas à mourir, même si la mort demeure le fait le plus ordinaire et le plus normal du monde, et qu'il n'existe pas d'exception à la règle. Même celui qui s'est proclamé Dieu, comme le prophète de Nazareth, a dû mourir avant de ressusciter. Et le pape Wojtyla a fini par mettre en question l'ancienne tradition pieuse de l'Église qui voulait que Marie, la mère de Jésus, ne fût pas morte du fait que son corps avait été élevé au ciel, affirmant qu'elle aussi a connu la mort.

Tous les êtres de l'histoire ont disparu, car nous, les êtres humains, nous naissons condamnés à mort. C'est l'unique réalité que ni l'argent ni le pouvoir ne peuvent éluder. S'ils réussissent parfois à retarder sa venue, elle demeure inéluctable, pour les puissants comme pour les pauvres.

Par conséquent, le problème n'est pas de mourir, car c'est un destin auquel nous ne pouvons échapper et qui ne se résout pas par une dérobade, en écartant la mort ou en la reléguant dans notre subconscient. Ce qu'il faut faire, c'est la regarder bien en face, en sachant que c'est une réalité qui nous appartient, en tant qu'humains. Personne ne doit en avoir honte ni s'aliéner, puisqu'il s'agit de notre destinée commune.

Tout naturelle qu'elle soit, la mort demeure toujours une brisure. Et elle l'est encore plus quand elle survient avant le temps biologique. La mort d'un enfant ou d'un adolescent est toujours plus tragique que celle d'un vieillard. Pourtant, aux yeux du vieillard, la mort n'est pas une fête non plus : elle est toujours le moment suprême de la vérité et de la solitude la plus profonde. On meurt toujours seul, disait un philosophe de l'Antiquité. Et c'est vrai. C'est une gorgée que personne ne peut avaler à notre place. Et personne ne saura jamais ce qui se passe dans l'âme de l'homme quand il doit se rendre à l'évidence que son heure est arrivée. Ce sont des moments d'intimité absolue. Toutefois, le prix Nobel de physique, l'Italien Carlo Rubbia, soutient que, sauf dans les cas d'accidents, tout être humain décide du moment de sa mort, bien qu'une telle décision ne soit pas consciente.

Ce qu'on ne peut pas faire, de toute façon, c'est mépriser la mort ou la cacher. Je me considère comme chanceux d'avoir vu, quand j'étais petit, tant de personnes mourir dans leur maison, comme quelque chose de désagréable sans doute — parce que je voyais les gens pleurer ou parce que je perdais des personnes très chères — mais aussi comme une réalité qui faisait partie intégrante de la vie, tout comme la naissance. Aujourd'hui, les enfants ne font pas cette expérience. Peut-être souffrent-ils moins, mais je n'en suis pas sûr ; car le prix à payer pourrait être qu'ils ne pourront jamais affronter la mort avec la sérénité du paysan qui sait que tout meurt : même les arbres les plus robustes, les fleurs les plus belles et les animaux les plus chers ; et que c'est seulement par la mort de certaines choses que d'autres peuvent naître.

Qui meurt le plus tranquille ?

On m'a dit bien des fois que les sans-Dieu meurent plus tranquilles. Les croyants seraient plus terrorisés face à la mort, seraient ceux qui en souffriraient le plus. Je pense que ni l'une ni l'autre de ces affirmations n'est vraie. Celui qui est profondément convaincu qu'il n'existe aucune autre vie que la présente peut, il est vrai, regarder la mort en face sans angoisse ni anxiété excessives quant à ce qui peut lui arriver par la suite. Puisque qu'il n'y a rien après, pense-t-il, l'important c'est de vivre à fond la vie, et faire en sorte que, lorsque survient la mort, elle soit la moins cruelle possible. Mais j'ai également rencontré des gens sans foi qui étaient terrorisés à la pensée de la mort.

Parfois, l'amour passionné pour la vie qui arrive définitivement à son terme rend peut-être plus désespérée la perspective de la fin, surtout si on n'est pas tout à fait malheureux. Je n'ai jamais constaté que la mort était une fête pour quelqu'un, croyant ou pas. Comme elle ne l'est pas non plus pour les suicidaires qui décident de mettre fin à leur jour. Tous ceux qui décident en conscience d'avoir assez vécu et qui veulent mettre fin librement à leur existence n'ont pas l'habitude de boire, contents et heureux, une coupe de champagne avant de poser leur geste. C'est toujours une souffrance. On met fin à une vie parce qu'on retient que cela ne vaut pas la peine de continuer à la vivre. Mais cela aussi est source de souffrance et de déception.

Quant aux personnes religieuses ou croyantes, j'en connais de deux types. Il y a celles qui ont vécu une foi purement formelle et qui sont plutôt terrorisées à l'idée d'un Dieu vengeur qui attendrait l'homme au seuil de la mort pour lui lire son bulletin et régler ses comptes. Ces gens affrontent la mort avec la peur d'être condamnés ou avec le doute que tout ait été une illusion. Il y a ensuite toutes les personnes qui ont cru sérieusement et qui sont convaincues que la vie ne finit pas d'une façon irrémédiable, que la mort n'est qu'un passage, et que, sur l'autre rive du fleuve, des réalités neuves et inédites les attendent.

Cela se vérifie chez les croyants sincères de n'importe quelle religion. Je me souviens qu'un cardiologue romain, qui travaillait beaucoup dans les hôpitaux, me raconta être resté impressionné devant la sérénité avec laquelle il voyait mourir des croyants. Et il me dit : « J'ai la conviction intime qu'une certaine foi en un au-delà nous aide à ne pas mourir désespéré. » Je suis sûr que d'autres médecins peuvent avoir vécu des expériences différentes de celle-là, mais il n'y a pas de doute qu'une grande foi en quelque chose ou en quelqu'un, qu'elle soit laïque ou religieuse, aide à mieux vivre. Et pourquoi ne devrait-elle pas aider aussi à l'heure suprême de l'adieu à cette terre ?

Il m'est toujours apparu singulier, par exemple, que, parmi les chrétiens qui disent croire en la résurrection des corps et en une vie future, certains soient si terrorisés face à la mort. Seuls les mystiques ne le sont pas. Nous pourrions dire qu'ils sont fous, mais ils sont sans aucun doute plus cohérents. Je peux mieux comprendre Thérèse d'Avila qui, éprouvant une telle envie d'arriver aussitôt que possible dans l'autre vie malgré son grand amour de la vie présente, chantait : « Je vis, mais sans vivre en moi / Et mon espérance est de telle sorte / Que je me meurs de ne point mourir. »

Le problème, surtout pour les croyants, réside plutôt dans l'idée de Dieu qui a prévalu durant leur vie. Certains ont cru en un Dieu sévère, toujours prêt à châtier, incapable de pardonner la faiblesse humaine. D'autres ont cru en un Dieu de miséricorde qui, selon les Écritures, serait encore plus tolérant qu'une mère, une mère finissant toujours par pardonner et par prendre la défense de son enfant, quelles que soient les méchancetés commises. La distinction est très importante.

Personnellement, je crois que certaines religions (mais pas le bouddhisme) ont préféré servir de frein aux excès de la vie, ou d'appui à l'ordre social, plutôt que d'aider les personnes à mourir dans la sérénité, sans crainte, en leur rappelant que, si Dieu existe, il est incapable de ne pas être moins sévère que les hommes, lesquels sont durs uniquement par peur et par insécurité. Dieu n'a pas besoin de cela, car il a le sens de la mesure.

Si un Dieu est nécessaire, je crois par-dessus tout qu'il doit être ainsi, afin que nous puissions mourir tranquilles, dans ses bras, sans éprouver de la terreur. Un Dieu capable de condamner quelqu'un à l'enfer, c'est-à-dire à une peine irréversible, est la chose la plus cruelle que j'aie pu entendre dans les religions, parce que Dieu peut être tout, mais pas inhumain. Et seul un fou, même pas un méchant, peut concevoir une peine si atroce et absurde, si inhumaine, si anti-divine. Dans son dernier *Catéchisme universel,* l'Église catholique a fait disparaître cette autre folie — qu'elle a pourtant défendue pendant des siècles, et qui a infligé tant de souffrances à des millions de familles croyantes — que sont les limbes des enfants : un lieu absurde, sans peine ni bonheur, où devaient aller les enfants morts sans avoir reçu le baptême. Un tel châtiment infligé à des innocents ne pouvait que faire sourire par scepticisme ou faire enrager en raison de son inhumanité.

Un jour, l'Église comprendra également qu'un Dieu dont la cruauté serait telle qu'il puisse seulement concevoir l'existence d'un châtiment infini et éternel, sans possibilité de retour, ne peut pas exister. Ou Dieu sert à aider l'homme à approfondir les raisons de l'amour, ou c'est un Dieu inutile. Et il n'y a pas de place dans l'amour pour les châtiments irréversibles. L'amour porte dans ses viscères le germe de la compassion, du pardon et de la miséricorde.

Même les chiens veulent mourir dans les bras de leur maître

Si les humains comprennent qu'une personne au seuil de la mort ne désire qu'une main amie, un visage de compassion, une parole d'encouragement, quelque chose qui la fasse se sentir moins seule, comment pouvons-nous penser que Dieu, avec ses exigences religieuses, soit celui qui nous rende plus terrifiant ce moment suprême où l'homme est totalement sans défense et dans une pauvreté absolue ?

Un de mes amis, un homme public important, savait que ses jours étaient comptés à cause d'un mal irréversible. Un soir, je me rendis l'interviewer pour une revue italienne ; il me dit avant de commencer l'échange : « Je sais que tu aimes beaucoup tes chiens. Je veux te donner un conseil. Si un jour tu te vois contraint d'en sacrifier un, parce qu'il n'y a plus d'espérance et qu'il souffre beaucoup, ne permet pas qu'il meure dans les mains d'un vétérinaire. Tiens-le serré entre tes bras pendant qu'on l'endort. Qu'il s'endorme en sentant ta chaleur humaine. Ainsi, il mourra plus heureux, et surtout sans avoir peur. »

Quand mon ami mourut, j'ai pensé plus d'une fois à son conseil. Et aujourd'hui, alors que j'écris sur le Dieu des années 2000, je pense que cette image du chien qui meurt dans nos bras, protégé par la chaleur de notre affection pourrait être l'image du Dieu que l'homme voudrait rencontrer au moment décisif de quitter la vie. Un Dieu sans rancœur, serein, qui nous embrasse dans notre agonie pour nous enlever la peur de quelque chose qui fait inévitablement partie de la nature humaine. On naît pour mourir et sur le chemin de la vie, le départ est tout aussi important que l'arrivée.

Les dieux qui ajoutent des sentiments inutiles de culpabilité à la terreur de la mort sont des dieux cruels dont pas même un chien ne voudrait, parce que les chiens aussi s'attendent à un amour et à une affection de la part de leur maître, quelle qu'ait été leur façon de se comporter durant leur vie. Ils savent que dans le bilan de leur courte vie ils ont, somme toute, donné plus de bonheur que de souffrance à ceux qui les ont accueillis dans leur famille.

Il en est de même aussi pour les hommes. Personne n'est si infidèle à sa destinée, si contre-nature, si inhumain que, dans le bilan de sa vie, il ne puisse se sentir tranquille face à un Dieu qui se dit amour. En Lui, l'être humain doit pouvoir trouver quelque peu cette compréhension que tant de ses compagnons de voyage, y compris les plus intimes, lui ont refusé durant la vie, car nous, les humains, avons l'habitude de considérer davantage les aspects négatifs des personnes que leurs aspects positifs. Notre insécurité et notre égoïsme nous portent à nous préoccuper plus de nous-mêmes que des autres. C'est ainsi que naissent les guerres, les haines raciales, les exploitations. Si nous pensons que les autres sont méchants, nous devons les combattre et, si nécessaire, les éliminer. De toute façon, les humilier. Mais se peut-il qu'existe un Dieu capable d'imaginer la torture physique ou psychologique ? Certainement pas. Même un animal ne peut la concevoir. Les animaux peuvent s'entretuer pour survivre, mais ils ne torturent jamais. C'est uniquement une perversion humaine.

De toute évidence, certains théologiens ne manqueront pas d'avancer que Jésus, l'homme par excellence, a été abandonné par Dieu au moment de sa mort, qu'il s'est senti seul, incapable de comprendre pourquoi il devait mourir. C'est oublier que la façon dont cette mort nous a été racontée contient bien des éléments symboliques, et qu'il y a toujours eu des doutes sérieux sur la véracité de certaines de ces pages évangéliques. Chose certaine, Jésus n'a pas été seul dans sa mort. Il a eu la consolation et l'affection profonde des femmes, de sa mère jusqu'à la prostituée de Magdala. Elles l'ont aidé à expirer, le caressant de leurs regards affectueux, elles ont oint son corps maltraité avec une affection infinie et elles ont veillé (cela est affirmé aussi par les évangiles chrétiens) afin que personne n'enlève son corps du tombeau. Et la tendresse féminine à l'heure finale, tant pour les hommes que pour les femmes, est le meilleur baume pour ne pas mourir dans la solitude. Tant de morts dans les hôpitaux et dans le secret des murs des maisons sont pleines d'histoires de ce genre.

La voix amie quand on meurt dans un camp de concentration

J'ai entendu dire qu'on avait éliminé du *Chemin de la Croix* la station où Véronique essuie le visage ensanglanté de Jésus sur le chemin du Calvaire (après avoir été torturé par les soldats de Pilate). On dit que ce n'était pas un récit authentique. C'est curieux ! C'est justement cette scène de tendresse et d'affection d'une inconnue devant le prophète abandonné et conduit à la mort que l'on considère comme fausse. Parce que Jésus devait mourir seul et abandonné. Ce fut une caractéristique du christianisme tardif de retenir que seule la souffrance rachète, et que plus elle est grande, mieux c'est.

Les premiers chrétiens et les martyrs des catacombes ne pensaient pas ainsi. Ils refusaient le crucifix comme signe d'ignominie, comme nous, aujourd'hui, nous refusons la chaise électrique. C'est pourquoi il n'y a aucune peinture de Jésus crucifié dans les catacombes. La peinture la plus ancienne se trouve dans les catacombes de Priscille à Rome, où selon la tradition s'était réfugié Pierre. C'est la peinture de la dernière Cène : les apôtres mangeant avec Jésus. Une fête.

La sanctification de la souffrance pour la souffrance est une donnée plus tardive. Comme l'est un certain sentiment de culpabilité pour le péché. Ce sont des mécanismes de répression des consciences. Car, si la douleur est à ce point importante et sanctificatrice, il est très facile de succomber à la tentation de la laisser se répandre dans le monde, sans s'efforcer de l'éliminer. Nous l'avons vu et touché du doigt. La joie, le bonheur, le plaisir des sens et même de l'esprit ont toujours fait peur à certaines Églises. On gouverne mieux par la peur que par le bonheur. Mais les Églises peuvent-elles prétendre qu'un Dieu de la peur puisse attirer quelqu'un ? On ne peut que le craindre. Et de là à le refuser, il n'y a qu'un pas.

Tuer Dieu pour récupérer le sentiment du bonheur humain a été un impératif de vie pour un grand nombre. Il aurait été inutile de tuer Dieu s'il s'était agi d'un Dieu de la sérénité, de la tolérance, de la créativité, du goût du neuf, heureux du bonheur des hommes. Un Dieu trop bon serait-il dangereux ? Le seul danger, c'est de faire Dieu à l'image de nos rancœurs et de sacraliser la souffrance à l'image des dieux païens antiques affamés de sacrifices cruels. L'impératif est de soulager cette souffrance à laquelle nous ne réussirons jamais à nous soustraire complètement. Jésus soignait les malades et ressuscitait les morts au lieu de leur dire de souffrir.

Nietzsche a écrit : « J'aime les hommes qui tombent, parce que ce sont ceux qui se mettent en travers. » Et Dieu pourrait-il être différent? Les peureux devraient le craindre davantage que ceux qui ont trébuché dans la vie. Nietzsche affirme encore : « Il est indispensable d'avoir en soi le chaos pour donner la lumière à une étoile qui danse. » Mais existe-t-il un seul homme qui arrive à la mort sans sentir un grand chaos en lui-même? Or Dieu est celui qui est capable d'allumer une étoile dans ce chaos, celle de l'espérance. C'est pourquoi je suis d'accord avec le philosophe allemand quand il affirme : « Je ne pourrais croire qu'en un Dieu qui sache danser », c'est-à-dire en un Dieu capable de se divertir avec l'homme, de se réjouir de sa joie, et non de le surveiller pour le prendre en défaut et de l'écraser alors qu'il est déjà tombé. Et capable d'être à ses côtés à l'heure décisive de la mort, comme le fait, sans être un Dieu, le meilleur ami, l'ami véritable de toute une vie.

À cet égard, je me souviens d'une page précieuse du livre *L'écriture ou la vie* de Jorge Semprun, un non-croyant, prix Nobel de la Paix 1994, dans laquelle il raconte certaines horreurs dont il a souffert dans le camp de concentration de Buchenwald, avant d'être libéré de cet enfer. Semprun raconte qu'il a assisté dans le camp de concentration à la mort de son ex-professeur de la Sorbonne, Maurice Halbwachs, qui gisait sur un affreux lit du bloc 56. Il écrit :

> Le professeur était à la limite de la résistance humaine. Il se vidait lentement de sa substance, il avait atteint la phase ultime de la dysenterie qui le conduisait petit à petit dans l'épidémie de la peste.
>
> Peu de temps après, alors que je lui racontais la première chose qui me venait à l'esprit, simplement pour lui faire entendre le son d'une voix amie, il ouvrit soudain les yeux. L'angoisse immonde, la honte de son corps en décomposition étaient parfaitement lisibles, mais il y brillait aussi

une flamme de dignité, d'humanité défaite mais encore
indemne. L'éclat immortel d'un regard qui constate que
la mort est proche, qui sait à quoi s'attendre, qui mesure face à face les dangers et les paris, librement,
sereinement.

Alors, pris d'une panique soudaine et ne sachant pas
si je pouvais vraiment invoquer un Dieu quelconque
pour accompagner Maurice Halbwachs, un nœud dans
la gorge, conscient malgré tout de la nécessité d'une
prière, je récitai à haute voix, en cherchant à la contrô-
ler, à lui donner le timbre qui convenait, quelques vers
de Baudelaire. C'était la seule chose qui me venait à
l'esprit : « Ô mort, l'heure a sonné, levons l'ancre, vieux
capitaine. » Le regard de Halbwachs se fit moins sombre, il parut se tenir à l'écart. Je continuai à réciter.
Quand j'arrivai à « nos cœurs, que tu connais, de rayons
se sont remplis », un léger tremblement apparut sur les
lèvres de mon ami. Dans son agonie, il sourit, le regard
fraternel tourné vers moi.

En lisant cette page, je me demande s'il peut y avoir un
Dieu plus sévère, moins compréhensif, moins compatissant que l'écrivain devant son ami qui agonise en pleine
solitude et, ne pouvant se servir d'aucun Dieu à implorer,
lui récite une poésie en guise de prière, à l'heure suprême
de l'adieu.

3

Un Dieu amoureux

AMOUR

Pour l'amour nous avons été faits
comme le cheval pour le vent,
comme la lune pour le lac,
comme le grain pour les mains.
Pour l'amour et pour la danse,
l'embrassade, les entrelacements,
pour le vol
et pour le nid.
Pour l'univers nous avons été faits
matière d'étoiles que nous sommes
pour le regard complice de l'autre,
et la tasse remplie d'eau limpide
à la tombée du soir
dans la simplicité du repas.

Roseana Murray

La plus grande des vertus humaines, c'est la tolérance, la capacité d'accepter les raisons de l'autre sans les juger, sans croire que les siennes sont supérieures à celles des autres. La racine de tout fascisme réside dans la conviction que le différent, et donc l'étranger, l'autre, est inférieur. En cela, je loue les religions orientales qui n'osent même pas considérer l'homme supérieur aux autres animaux, par conséquent dignes de respect dans leur originalité et leur diversité. Ou les nouvelles théologies écologistes et cosmiques qui professent l'amour pour tout le créé sans distinction. Le mystique ne considère même pas que Dieu est supérieur : il veut seulement le toucher dans l'extase de l'infini.

Il y a des réalités qu'on ne peut exprimer par des mots. On les qualifie d'ineffables. Les Hébreux ne prononçaient pas le nom de Dieu. Quand nous revêtons les rêves de mots et d'images, c'est qu'ils se sont déjà évanouis. Nous les avons domestiqués. À l'état pur, les rêves sont intraduisibles.

Comment parler de Dieu, par exemple, s'il n'a pas de nom et si nous ne connaissons pas son essence, si nous n'avons de lui qu'une idée, un sentiment, tout au plus un désir ou une crainte ? Je me rendis compte de la difficulté de penser Dieu un soir quand une gamine de six ans avait parié avec moi que ses larmes étaient sucrées et non salées. Elle m'avait mis au défi à la manière d'un adulte. « Combien gages-tu, me dit-elle, qu'elles sont sucrées ? » Elle était assise sur un côté du petit lit et je m'assis près d'elle. Je lui dis : « Faisons-en la preuve : donne-moi deux larmes et essayons de voir qui a raison, car moi je dis qu'elles sont salées. » La gamine commença à se frapper la tête, à mouvoir et fermer les yeux avec force, mais les larmes ne coulaient pas. Et elle ne comprenait pas pourquoi. Elle commença à s'énerver : « Les larmes ne viennent pas », me dit-elle, angoissée. Amusé, je continuais à badiner sans me rendre compte que la constatation de ne pas savoir pleurer par un acte de la volonté commençait à être dramatique pour elle. « Le fait est, lui dis-je, que tu as peur de perdre et que tu ne veux pas me donner les deux larmes. » « Non, elles ne coulent pas », insista-t-elle, mi-angoissée et mi-ennuyée. Puis, à l'improviste, comme illuminée, elle dit : « Maintenant, je sais comment faire. Je vais dire à maman de me faire des reproches, parce que je pleure lorsqu'elle me fait des reproches. » La mère ne comprit pas le jeu et pensa qu'il s'agissait d'une plaisanterie. Et tout semblait se terminer là. Mais quand, plus tard, la gamine alla faire une visite de routine chez sa pédiatre qui lui demanda si elle avait des problèmes, elle lui répondit : « Oui, j'en ai un gros, je ne sais pas donner deux larmes. » La pédiatre sourit, mais la gamine continua à être préoccupée. Un matin, se trouvant en auto avec une compagne de classe, elle lui demanda à l'oreille : « Sais-tu donner deux larmes à ton père ? » Le problème continuait à la tourmenter.

Plus d'une fois, quand il s'agissait de discuter du problème de Dieu, je me suis rappelé le désespoir réel de cette gamine, son angoisse, son incapacité qui m'avait fait éprouver un mélange de tendresse et d'embarras. Et je me suis demandé ce qu'aurait fait Dieu avec cette gamine, un Dieu descendu sur terre, à cette occasion. Aurait-il eu de la compassion pour cette petite innocente, et aurait-il fait descendre miraculeusement deux larmes de ses yeux? Les aurait-il rendues sucrées pour ne pas la décevoir, ou les aurait-il laissées salées pour l'habituer à lutter et à savoir perdre dans la vie? Lui aurait-il expliqué qu'il y a certaines choses qu'on n'apprend à connaître qu'en cheminant dans la vie? L'aurait-il punie pour n'avoir pas su, à son âge, d'où viennent les pleurs, ou aurait-il ri de ce désespoir et partagé sa peine? Aurait-il montré sa toute-puissance ou se serait-il fait ignorant pour ne pas l'humilier? Aurait-il cherché à découvrir avec elle pourquoi on ne peut pas pleurer uniquement sur commande?

Si tous les dieux qui ont passé sur la terre au cours des millions d'années d'existence de l'être humain avaient défilé devant la gamine qui ne réussissait pas à pleurer, il n'y a pas de doute que chacun d'eux aurait agi de façon différente. En les voyant de loin, lequel d'entre eux nous aurait semblé être le plus vrai, si, en guise de jeu, on nous avait dit qu'un seul était authentique? Chacun de nous aurait fort probablement identifié le Dieu qu'il a intériorisé, ou celui qui se serait éloigné le plus de l'image du Dieu qu'il a condamné en lui. Et le vrai? Les experts en la matière auraient tout fait pour nous convaincre que leur Dieu était l'authentique, alléguant mille preuves et raisons. Chacun choisit-il donc la religion qui lui convient le mieux, qui cadre mieux avec sa psychologie, ses besoins du moment? Ou le choix de Dieu dépend-il de la culture dans laquelle nous avons été élevés, du type de société qui nous protège, de notre propre structure, capable de s'adapter à ce qui nous est le plus facile et le plus crédible dans la vie? Peut-être y a-t-il un peu de vrai dans tout cela.

Il y a pourtant quelque chose qui gît au fond du cœur

de la majeure partie des hommes : ou Dieu est capable de s'éprendre de nous, ou il sera une force créatrice qui aura bien du mal à susciter notre intérêt. Ce sont seulement les dieux des dictatures et des fascismes qu'on accepte par peur, jamais ceux de la liberté. Pour ineffable et inaccessible qu'il soit, Dieu devra avoir un rapport avec le monde de l'amour s'il veut intéresser l'homme de l'an 2000. De fait, les grandes religions l'avaient toujours pressenti, même si en chemin elles l'ont oublié ; en effet, elles ont toujours rapporté Dieu à l'amour, même si elles ont eu peur en même temps de dire que l'amour est Dieu. La religion chrétienne arrive à identifier Dieu à l'Amour. Mais, en fait, cela n'est vrai que sur papier car, en pratique, le dieu qu'exportent bien des religions institutionnalisées est plutôt un dieu de la peur, vindicatif, exigeant, peu respectueux des faiblesses et des fragilités humaines, et encore moins de la conscience des individus, le grand sanctuaire de l'homme que Dieu lui-même n'ose pas violer.

Rechercher Dieu à travers l'amour humain

Il existe une tendance théologique qui utilise le concept d'« amants », c'est-à-dire le concept d'« amour passionné et profond entre un homme et une femme », en guise de métaphore de l'amour entre l'humanité et Dieu. Sallie MacFague l'expose très bien dans son ouvrage *Modèles de Dieu*. L'auteure part de la vérité à laquelle on a fait allusion ci-dessus, à savoir que s'il est un mot que la tradition chrétienne a appliqué sans réserve à Dieu, c'est bien le mot « amour ». On y enseigne que pour apprendre qui est Dieu il suffit de regarder l'amour. Mais en même temps, l'amour auquel on se réfère n'est pas un amour humain complet, avec son éros, sa passion, son désir de l'autre, mais un amour aseptisé, dépassionné, comparable en définitive à l'amour qui existe entre une mère et son fils, ou entre des frères, jamais à l'amour des « amants ».

Pourquoi ces réserves ? Qu'est-ce qui ne va pas avec le désir, la passion, l'Éros dans l'amour ? Sans compter qu'entre les amants vrais et adultes, si l'éros est important, la valorisation de l'être aimé l'est plus encore. « L'important, affirme la théologienne Karen, c'est de voir en l'autre quelqu'un de grande valeur, et d'être estimé par lui comme quelqu'un de grande valeur. » Chose certaine, un tel concept de l'amour appliqué à Dieu a été une constante de la tradition classique chrétienne, depuis saint Augustin jusqu'à la Confession de Westminster, en passant par saint Thomas. Dieu doit être davantage aimé que craint et il doit être aimé parce qu'il est, comme l'affirme Karen, « attrayant, digne d'estime et d'amour au-delà de toutes nos connaissances et de notre imagination », c'est-à-dire un Dieu capable de s'éprendre de celui qui s'en approche et de se laisser aimer uniquement parce qu'il est digne d'être aimé. Un amour qui confirme votre propre dignité et qui vous accepte comme vous êtes, un être de grande valeur et digne d'élan amoureux.

C'est pourquoi les mystiques du Moyen Âge parlaient de Dieu en termes d'« amant », même si plus tard la crainte d'envisager que la sexualité pourrait aussi entrer dans cet amour — la bête noire d'une certaine partie de l'Église misogyne — a fait en sorte qu'on a perdu la métaphore de Dieu comme amant, pour se réfugier dans une métaphore moins dangereuse, celle de Dieu père ou de Dieu frère.

C'est un fait que rechercher Dieu à partir de l'idée que nous nous faisons de l'amour humain est une tâche ardue. En effet, qui a jamais osé définir l'amour ? Est-ce seulement un sentiment ou une réalité ? Une sensation ou une certitude ? Est-ce l'œuvre du cœur ou de l'esprit ? L'amour humain s'est tellement prostitué qu'il n'est pas facile de voir à travers ses cristaux un seul indice de ce que pourrait être l'amour d'un Dieu qui s'approche de l'homme.

Il est certain que, dans toutes les religions, ce sont les mystiques qui se sont davantage approchés de l'image de Dieu-amour, comme Moïse s'approcha du buisson ardent de la divinité. Eux qui, tous, ont eu l'intuition de la force créatrice d'un tel amour, bien plus, sans doute, que les tuteurs stériles de l'orthodoxie religieuse, les théologiens distants de la dogmatique et du droit canonique. Ils ont eu l'intuition que si Dieu existe, on ne peut en faire l'expérience qu'à travers les lieux escarpés et viscéraux de l'amour, et non pas à travers ceux de la raison pure. Ils ont proclamé que c'est seulement dans l'incendie de l'amour qu'on peut deviner les sentiers qui mènent au mystère de l'infini.

Les mystiques de toutes les religions ont éprouvé des difficultés à exprimer en langage humain ce qu'il ont expérimenté lorsqu'ils se sont brûlés les ailes en s'approchant de la divinité. Et quand ils ont essayé de le faire, ils ont fini par se référer au monde mystérieux de l'amour, depuis les mystiques chrétiens jusqu'aux soufis islamiques. Tous utilisent les images de l'amour humain et de la poésie la plus lyrique pour exprimer leurs expériences religieuses les plus profondes, pour indiquer que le divin, pour se manifester, doit non seulement passer par les plis profonds de la raison, mais aussi par ceux du cœur. Avec pour conséquence que ces expériences révèlent une grande familiarité avec Dieu, bien qu'il soit expérimenté comme quelque chose de supérieur à tout, d'inaccessible dans son essence même.

Le mystique authentique n'a pas de scrupules à tutoyer Dieu, à se placer devant lui, à être exigeant et même à pester contre lui. Comme le faisaient les prophètes d'Israël qui rencontraient Dieu face à face dans le mystère de l'invisible. Ils n'osaient pas lui donner un nom pour ne pas le profaner, et pour ne pas le limiter en le nommant. Mais, en même temps, ils le traitaient avec une incroyable intimité. De tu à toi, comme des amoureux fous et comme des amants offensés. Dans le monde religieux, une chose est certaine, c'est que ces mystiques qui ont fait l'expérience du divin à travers l'amour sont les seuls à avoir perdu à la fois le sentiment de la peur et le sentiment de la mort. Comme cela se produit chez les grands amoureux qui pensent à tout, sauf à mourir, parce qu'ils ne vivent que de l'amour qu'ils ont découvert.

Le livre biblique du *Cantique des Cantiques* est le plus formidable poème d'amour de tous les siècles. Il s'agit d'une longue poésie sensuelle et érotique, utilisée pour nous faire connaître comment la relation entre Dieu et l'homme ne peut être que d'amour et d'intimité, de joie et de plaisir, jamais de peur ou d'épouvante.

Il est évident que, dans notre société de technologie et de consommation, même le mot amour a fini par se prostituer et se transformer en un objet purement commercial. Ce n'est pas par hasard si ce siècle a été celui des antidépresseurs et si ceux-ci ont été les médicaments les plus fréquemment utilisés dans le monde occidental pour endormir la profonde angoisse intérieure qui opprime l'âme. L'écrivain et médecin Moacyr Scliar, auteur de plus de trente ouvrages, a écrit : « Il est étonnant que la substance magique de ce siècle qui s'achève soit celle des antidépresseurs. C'est un fait que l'histoire humaine obéit à des cycles où alternent euphorie et tranquillité. Aujourd'hui, nous vivons une phase d'excitation, dans laquelle nous cherchons à fuir et à combattre nos propres fantasmes en essayant de trouver refuge dans l'économie de marché et dans la drogue de la consommation. » Et il ajoute : « Je crois qu'une nouvelle ère est en train de naître, dans laquelle les personnes donneront une importance et une valeur plus grandes à la vie intérieure et aux relations interpersonnelles que nous ne l'avons fait au cours du siècle qui s'achève. »

Un amour qui ne vous juge pas

Un être humain peut-il s'intéresser à un rapprochement avec Dieu qui ne soit pas conçu en termes de relation interpersonnelle amoureuse ? Ce qui se produit, c'est que l'homme, dans cette relation hypothétique et mystérieuse avec Dieu, cherche, en fait, quelque chose qu'il ne réussit pas à trouver dans les relations amoureuses purement humaines, comme en fait état toute la littérature ancienne et actuelle, relations qui sont presque toujours vécues et décrites en termes d'échec, donnant à entendre qu'elles sont à peine possibles, jamais durables. En même temps, on devine toujours dans cette littérature l'amertume de ne pas pouvoir poursuivre quelque chose qui ait à voir avec l'éternité, car tout amour qui commence nourrit la prétention illusoire et vaine de durer toujours (autrement on ne comprendrait pas l'intensité de la flamme amoureuse).

Il est très probable que l'homme du XXIᵉ siècle se sente plus enclin à fouiller dans les rapports amoureux afin de trouver de nouvelles cordes qu'il pourra faire vibrer et de faire jaillir de nouvelles dimensions, plus intérieures et plus authentiques : ce goût de s'aimer dans la liberté absolue, sans masques et sans devoir rien démontrer à l'autre, parce que l'amour est ainsi fait que l'on se sent accueilli comme on est, sans que personne prétende vous changer sinon par la force même de l'amour qui est dynamique et ne s'impose jamais.

Seul un Dieu appréhendé comme prototype d'un amour qui semble impossible — auquel toutefois l'homme non seulement ne renonce pas, mais qu'il continue, en fait, à chercher consciemment ou inconsciemment toute sa vie, et qu'il finit par remplacer au moyen de succédanés ou de caricatures de l'amour — pourra réveiller l'intérêt des nouvelles générations, fatiguées d'accumuler les objets, alors qu'elles recherchent des sensations et des réalités impalpables et mystérieuses qui aient à voir avec l'amour.

On parle aussi de l'amour en tant que recette immunologique dans le domaine de la médecine, étant donné que bien des médecins retiennent que l'amour profond, vécu avec joie, augmente considérablement les défenses de l'individu. Du reste, l'intérêt pour l'amitié profonde croît parmi les jeunes. D'ailleurs, qu'est-ce que la psychanalyse, sinon l'effort, parfois réussi parfois raté, de recomposer dans la personne le cadre brisé de ses relations personnelles et interpersonnelles pour pouvoir vivre sa vie amoureuse avec sérénité et plaisir ?

S'il est difficile de concevoir un bonheur totalement séparé de l'amour — à moins que l'on dise que le pouvoir dépasse toutes les autres exigences humaines —, il est chaque fois plus certain que la nouvelle image du Dieu des années 2000 aura des rapports étroits avec les mystères de l'amour. Il s'agit d'un domaine dans lequel l'homme qui arrive à maîtriser la matière et à conquérir le cosmos n'a fait que des pas de nouveau-né au cours de ses millions d'années d'existence sur la terre. Dans l'expérience amoureuse, l'être humain est encore un nourrisson.

Si la névrose, avec toutes ses pathologies, est la maladie du siècle qui s'achève, et le malheur, le dénominateur commun des Occidentaux essoufflés dans leur toute-puissance rationaliste et illusoire, qui les empêche de voir la beauté des plus petites choses autour d'eux, il est facile de deviner que les prochaines générations donneront plus d'importance à ce qui les rendra plus sereins et plus libres, peut-être moins riches mais aussi moins anxieux et moins désespérés.

Camus lui-même en avait eu l'intuition quand il écrivit :

> Plongés, malgré notre jeune sang, dans la terrible vieillesse de ce dernier siècle, nous sentons l'absence de l'herbe de tous les temps, de la feuille d'olivier que nous n'irons plus voir pour elle-même désormais, et des raisins de la liberté. L'homme est partout, et ses cris, sa douleur et ses menaces sont partout. Parmi tant de créatures rassemblées, il n'y a plus de place pour les grillons. Il suffit de passer la nuit en Provence, il suffit d'une colline parfaite, une odeur de sel, pour se rendre compte que tout est en devenir. Nous devons réinventer le feu.

Dans la lutte éternelle entre l'amour et le pouvoir, je ne sais quand — peut-être seulement à la fin des temps —, l'amour finira par avoir à un moment donné le dessus sur le pouvoir.

Toute la littérature universelle est une littérature d'amour. Toutes les histoires finissent par être des histoires d'amour, et tous les films et toutes les musiques ont été réalisés parce que suscités par un certain type d'amour. Même le formidable et terrible film *La dernière marche* n'est qu'une grande histoire d'amour. Mais jusqu'à maintenant la force du pouvoir finit toujours par l'emporter sur l'amour ; on admire davantage celui qui commande que celui qui aime. C'est pourquoi la majorité des histoires finissent mal : parce qu'on ne croit pas que l'amour puisse jamais triompher du pouvoir et de l'argent, et que l'amour puisse suffire.

J'ai cherché dans la littérature contemporaine quelque

page qui indiquerait ce que pourrait signifier pour un être humain un amour qui va plus loin que ce que nous avons l'habitude de connaître et de vivre. Quelque chose de semblable à la poésie du *Cantique des Cantiques*, mais vécu par une personne de notre siècle.

Je ne l'ai pas trouvé, car presque toutes les amours littéraires finissent mal, sont infidèles et sans espérance, imbues d'incrédulité. Un de mes amis m'a fourni un document intéressant décrivant l'embarras d'une femme de notre époque qui avait trouvé un amour qui la comblait et qui découvrait que l'homme qu'elle aimait possédait une chose aussi simple que celle de l'accueillir telle qu'elle était, sans vouloir la changer. Ceci peut nous donner une idée de ce que signifierait le fait de se sentir aimés par un Dieu qui ne nous examine pas avant de nous aimer et ne nous juge pas après nous avoir connus ; qui ne nous condamne pas pour nos erreurs et ne nous punit pas pour nos faiblesses, mais qui nous aime pour ce que nous sommes. C'est si simple, et… si difficile. Je dirais presque impossible. Sans le vouloir peut-être, cette femme était en train de faire sienne la théorie de la nouvelle théologie qui se centre sur la nouvelle métaphore d'un Dieu-amant.

La femme amoureuse dit à son homme :

> J'ai la certitude que tu m'aimes telle que je suis. Et cette certitude fait de ma vie une réalité nouvelle. C'est comme si, à l'improviste, je pouvais enfin me reposer. Savoir que tu m'acceptes dans tous mes moments d'insécurité, de tristesse et de joie me procure une immense paix. Que tu m'acceptes avec tout mon passé, tout ce que j'ai fait de sûr et d'équivoque, avec toutes mes tentations et mes échecs, et également avec tout ce que j'ai réussi. Tu m'acceptes entièrement telle que je suis. Je n'ai pas besoin de masques. Tu m'aimes simplement sans rien me demander, sans que je n'aie rien à te prouver.

Et elle continue :

> Je me sens accueillie pour la première fois de ma vie, et c'est une sensation de plénitude. C'est comme si j'étais enceinte. Comme si je venais à peine de faire l'amour. Je t'ouvre mes portes secrètes, et tu entres là où personne n'est jamais entré. Je t'offre mes côtés lumineux et obscurs. Je me donne tout entière. Et je voudrais te demander une chose : que notre relation d'amour soit comme un labyrinthe infini. Portes ouvertes, et à l'intérieur, encore d'autres portes ouvertes, comme si on n'arrivait jamais à la fin. Notre relation ne doit jamais finir. Tu me donnes un regard neuf. Parfois, je suis dure et très exigeante avec moi-même, et tu fais en sorte que je me regarde d'une autre façon. Grâce à toi, je me sens maintenant une femme avec beaucoup de portes qui doivent encore s'ouvrir. Parfois même, je me découvre belle. Tu es en train d'opérer en moi bien des miracles. Tu guéris les plaies du passé. Je ne sais pas comment, même si je sais que la vie a été très dure envers moi. Maintenant, c'est comme si tout s'illuminait à l'improviste, et je me sens heureuse sans savoir pourquoi. C'est comme si une vague de bonheur imprévu m'enveloppait.

Et elle conclut : « J'espère que tu es heureux, et c'est l'espérance la plus belle de ma vie. Ce doit être comme lorsqu'on attend un enfant. Quelque chose de grand est en train de naître en moi. Je suis moi-même en train de naître à nouveau. Tu es en train de me faire renaître. Cela n'a-t-il rien à voir avec l'infini ? »

Ces paroles pourraient être celles d'un mystique rencontrant la divinité. On peut imaginer que beaucoup d'hommes et de femmes ne résisteraient guère pour pouvoir vivre un tel amour. Chose certaine, un Dieu qui aimerait les gens de cette manière n'aurait pas besoin d'être tué ou combattu. Il serait le bienvenu, car — comme l'affirme Camus — un tel amour est l'unique amour «capable de réconcilier le cœur endolori des hommes et le printemps du monde».

Les religieux ont l'habitude d'avoir peur de ce Dieu qui ne juge pas, qui accepte la personne telle qu'elle est sans vouloir la changer, qui n'exige pas de fidélités impossibles. Un tel Dieu est dangereux parce qu'il redonne à l'homme le goût de la liberté et le plaisir des sens. Les religions ont l'habitude de juger sur la base du mécanisme subtil de la valeur du sacrifice, pour mieux tenailler les consciences dans la camisole de force du sentiment de culpabilité. Mais n'est-ce pas l'amour, et non la souffrance, qui, en définitive, a toujours racheté l'humanité? Même s'il y a une certaine vérité dans ce que dit la chanson: «parfois l'amour est une grande souffrance». Cela, toutefois, est une autre histoire.

4

Le Dieu qui aime toutes choses

CHOSES

Je nomme amoureusement toutes les choses
qui m'entourent
parce qu'elles acquièrent contour
et consistance.
Je nomme cette table
sur laquelle j'écris
et l'arbre éloigné d'où elle provient,
qui sait si, tout près, il y avait un ruisseau,
je nomme l'eau de cette rivière,
sa musique et sa fragrance.
Dans mes mains
la lente trame des pierres.
Je nomme le papier blanc
où ce poème est en train de naître
et la fenêtre ouverte
par où mon regard s'évade.
Je nomme les toits, les fleurs, les chats
et la ville
dans l'équilibre de sa rumeur :
une petite hirondelle sillonne le ciel,
je nomme son vol et le soleil,
la mer éloignée
et tous les tons d'azur
et des barques.

Le va-et-vient.
Je nomme la lune et le vent,
les cartes,
les montagnes signalées
et la boussole
qui indique le chemin.

Roseana Murray

L'homme utilise les choses mais ne les aime pas. Il se sent en droit de les dominer et de les maltraiter, mais il ne nourrit ni tendresse ni compassion pour les choses créées. Le Dieu de la Bible, si. Pour lui, rien n'est méprisable car, selon le récit de la création, après avoir fait toute chose, Dieu s'exclama que tout était digne d'admiration.

Le fait que l'homme se sente le seigneur de toutes les choses qui sont à son service, qu'il les ait créées ou trouvées à ses côtés, ne le dispense pas de les aimer et de les respecter. Mais celui qui est incapable de s'émerveiller devant une pierre, un brin d'herbe ou le plus petit des insectes pourra difficilement comprendre ce que signifie aimer et communier avec tout le créé.

Les scientifiques qui cherchent dans les replis intimes de la matière, dans ses particules les plus invisibles, savent comment un objet est merveilleux, aussi insignifiant qu'il puisse paraître, surtout s'il s'agit d'un être vivant.

Utiliser les choses, avoir la création à sa disposition, ne veut pas dire que l'homme doive cesser de ressentir un certain frisson d'admiration en tenant dans le creux de la main l'eau limpide qui jaillit d'un rocher en haut d'une montagne.

Dans la réalité, il y a quelque chose de sacré que l'homme de la technologie et des machines a perdu. C'est pour cela qu'il n'est plus capable d'apprécier le mystère d'un ordinateur grâce auquel il a été en mesure de marcher dans les étoiles. Une fois perdus l'admiration et l'amour de la matière, on ne peut pas aimer davantage ce que l'on crée de ses propres mains.

Parfois, je m'effraie à la pensée que l'homme de notre époque soit incapable de tomber en adoration devant ce qu'il a lui-même été capable de construire. Nous utilisons le téléphone, la radio, Internet, la télévision, comme si tout cela était la chose la plus naturelle du monde. Il en va de même pour la lumière électrique ou l'avion, des réalités que les anciens auraient sûrement adorées comme des divinités. Avons-nous jamais pensé ce que signifie le fait pour l'homme d'avoir réussi non seulement à mettre le pied sur la lune — et un jour prochain il le fera sur d'autres astres — mais aussi le fait que les images de cet exploit nous arrivent en direct dans nos maisons ? Ou le fait que notre voix puisse être entendue par un ami de l'autre côté de la planète, après avoir transité par quatre satellites dans l'espace ?

Comment l'homme peut-il ne pas aimer et admirer ce qui sort de ses mains ? L'homme moderne, qui refuse Dieu en se sentant lui-même un dieu sur terre, ne sait pas en même temps avoir la grandeur des dieux du passé qui savaient aimer les choses. Il lui manque la capacité de savoir s'extasier devant ce qui l'entoure. Il ne sait pas contempler avec un ravissement intérieur le spectacle d'une pleine lune qui se montre, coquette, à l'horizon de la mer encore incendiée des derniers rayons du soleil couchant.

Et pourtant, en cette fin de siècle, il commence à y avoir de plus en plus de gens lassés de tant de gaspillage, d'une part, et de tant de mépris pour tout ce qui n'est pas argent, d'autre part, comme aux temps des antiques doublons d'or. On commence à regarder plus loin, en quête d'une nouvelle vision des choses, d'un nouveau regard... plus zen, plus enchanté, capable de se laisser séduire par la beauté cachée des choses.

Je crois que, dans le siècle qui commence, on aimera davantage les choses, et que seul un Dieu capable de les aimer toutes — parce que toutes portent en elles le sceau invisible du mystère de la matière — pourra être accepté, compris et aimé.

Par peur d'un fétichisme mal compris, les Églises ont d'abord prêché la désaffection par rapport aux choses, et même par rapport aux animaux et aux personnes, et par la suite, le mépris pour tout ce qui est terrestre, comme si le créé pouvait être ennemi de ce Dieu qui l'a fait. Le fameux appétit des choses a été l'un des péchés dénoncés par le pouvoir religieux, alors qu'on aurait dû enseigner que le baiser de la divinité se trouve scellé avec le feu, même dans le plus petit morceau de matière. On aurait dû enseigner aux hommes à aimer les choses, et donc à les partager, et non à s'en emparer pour en faire leur propriété exclusive.

Dans une vallée splendide du sud-est de Rio de Janeiro, dans le Visconde de Mauá, aux confins du Parc national de Itatiai, un riche Américain s'est acheté cent hectares de forêt luxuriante, traversée par un cours d'eau cristalline qui naît dans les montagnes voisines. Qu'a-t-il fait? Il a entouré le tout de barbelés, pour que personne ne puisse y entrer. Avarice inutile. Aimait-il vraiment la forêt qui doit être à tous? Non. Il l'a seulement humiliée en ignorant que ce qui a été créé pour la jouissance de tous doit pouvoir être jouissance pour tous. Cette forêt séquestrée pleurait dans ses mains à chaque aurore, et à chaque coucher de soleil, elle se sentait seule, enfermée, inutile. Les anciens de l'endroit racontent qu'en elle les arbres commencèrent à être clairsemés et les fleurs à avoir moins de couleur. Et que le cours d'eau cessa de chanter.

Les pierres amies

Marguerite Yourcenar, auteur des *Mémoires d'Hadrien*, grande amie des animaux — dont elle avait l'habitude de dire qu'elle les admirait, car, à la différence des hommes, il n'y avait en eux aucun besoin d'accumuler —, rappelle que tout le créé éprouve de la gratitude quand nous l'aimons et que les fleurs croissent mieux quand nous les caressons. Elle écrit : « Celui qui, quelquefois, s'est caché derrière un roc pour se protéger du vent, ou s'est assis près d'un rocher réchauffé par le soleil et y a posé les mains pour en capter les vibrations obscures que nos sens ne perçoivent pas, éprouvera obscurément de l'amitié pour les pierres. » Et d'elle-même, elle disait : « Je pétris le pain, j'étends de la terre sur mon patio et après les nuits venteuses, j'empile le bois sec. »

L'homme des années 2000, qui vit en union plus étroite avec l'argile dont il a été modelé, a l'intuition d'une telle sensibilité, capable de capter les messages secrets des choses simples et authentiques, leurs vibrations plus amicales. Ce n'est certainement pas par hasard que grandit l'amour pour la céramique, pour le travail de l'argile : le feu la transforme en de nouvelles merveilles. Le vieux potier, métaphore du Dieu créateur, revient à la mode.

Dans la Bible, on parle de l'esprit de Yahvé répandu sur l'homme pour lui donner une âme, mais on ajoute aussi que Dieu a soufflé son esprit sur les choses pour les rendre belles. (Il ne faut pas oublier qu'en hébreu, l'esprit est féminin [*ruah*]). De là vient que ce sont les femmes qui ressentent le mieux la nécessité de retourner aux choses tangibles, d'aimer ce que touchent nos mains, la vie qui se trouve dans les choses. Car la femme a toujours eu une plus grande familiarité avec les choses concrètes, avec les objets, avec ce qu'on génère et qui naît en elle et en dehors d'elle. C'est sans doute pour cette raison qu'on affirme qu'au cours du XXIe siècle, ce seront les femmes qui élaboreront une nouvelle théologie, plus imprégnée de création, d'écologie, c'est-à-dire d'amour, de sollicitude et de respect pour les choses, même les plus petites. Ce sont elles, en effet, qui peuvent le mieux deviner le Dieu qui aime toutes choses et n'en méprise aucune, parce que tout est digne d'amour si nous savons le voir et le toucher avec la sensibilité du divin qui se cache en nous.

Sous cet aspect, les femmes, y compris les plus progressistes, sont plus en harmonie avec la sensibilité religieuse orientale, qu'avec la sensibilité occidentale. En comparant entre elles les attitudes orientales et occidentales envers la nature, Huston Smith rappelle que lorsqu'on a escaladé l'Everest pour la première fois, l'expression communément utilisée en Occident pour décrire ce fait a été la *Conquête de l'Everest*, alors qu'un Oriental remarquait : « Nous autres, nous le dirions d'une autre manière : nous évoquerions plutôt notre amitié pour l'Everest. »

Nous en sommes venus à mieux comprendre le fait suivant : plus qu'un déterminisme de la matière, c'est une grande corrélation qui existe entre tout et entre tous. Le modèle purement mécanique de la nature, hérité de Newton et Leibniz, a cédé le pas à un autre modèle plus organique qui recherche les relations profondes entre espace, temps et matière, en relativisant les concepts de mécanique. C'est pourquoi on est particulièrement sensible aujourd'hui au fait que les individus et les choses existent dans une structure relationnelle, dans un processus continu d'échange, d'ouverture et de transformation par contraste avec la conception d'un cosmos statique, immobile et parfait. Tous, nous sommes faits de tout.

L'astrophysicien Michel Cassé affirme dans *Conversations sur l'invisible* : « Oui, nous sommes les fils des étoiles. C'est aujourd'hui notre affirmation la plus sublime, et aussi la découverte essentielle de ces vingt dernières années. Notre œil a été formé par la matière dont est constitué le soleil, et c'est pour cela que nous voyons. Entre l'œil et le soleil, le contact est constant, intime. L'un parle à un autre qui lui est identique, l'atome de l'étoile parle avec l'atome de notre œil le langage de la lumière. » À l'objection : « Que se passe-t-il alors avec les idées de Bacon ? », soulevée par Jean-Claude Carrrier, l'astrophysicien répond : « Tu dois lui faire tourner la tête vers le ciel. Lui aussi venait de là. De toute façon, ses atomes y étaient nés. »

Curieusement, ce que Michel Cassé affirme de l'œil et du soleil était déjà présent dans un passage d'un texte hindou très ancien de plus de trois mille ans, le *Bribad-Aranyatra Upanishad* : « Le soleil que nous voyons est miel pour tous les êtres, et tous les êtres sont miel pour le soleil. Quant au personnage fait de feu et d'ambroisie qui réside dans le soleil — personnage qui, du point de vue humain, réside dans l'œil — c'est l'Âme, l'Ambroisie, le Brahman, toutes choses. » Nous dirions : c'est le divin.

Les nouveaux poètes du créé

On doit retourner à la Bible, non pas pour la lire de manière scientifique, mais pour en goûter la poésie imprégnée du cosmos, imprégnée des merveilles de la création, et apprécier le mythe de la naissance de l'univers et de la vie. Curieusement, ce sont justement les astrophysiciens qui sont, aujourd'hui, les nouveaux poètes du créé : en effet, une grande partie de la poésie moderne s'est pétrifiée en se perdant dans les méandres d'un psychologisme vide qui ne croit ni aux relations humaines, ni, moins encore, aux relations intimes du créé avec l'humanité. Camus a raison quand il dit que l'homme des années 2000 doit réinventer le feu. Nous devons revenir à l'essentiel, à ce qui a une valeur en soi. Nous devons redécouvrir le sens des mots. Et, pour cela, découvrir le Dieu qui aime tout parce qu'il crée tout, et parce que tout est digne d'admiration et d'amour.

Dans les Évangiles, le prophète Jésus de Nazareth — on pourra discuter du fait qu'il ait été ou non fils de Dieu, mais non pas qu'il fut un homme d'une sensibilité extraordinaire, et donc doté probablement de pouvoirs spéciaux même sur la maladie — s'est toujours senti proche des choses. Il a été un grand observateur et admirateur de la nature et des objets qu'il utilisait comme matériel symbolique pour ses paraboles, comme la drachme de la pauvre veuve, le pain et les poissons, les lys des champs, les oiseaux du ciel. Et même le vin. Tous ses exemples, il les prenait dans la nature ainsi que dans les choses créées par les hommes de la terre. Il observait le ciel et les couchers de soleil incandescents, les troupeaux des pasteurs et le chant des coqs. Jésus ne s'est jamais montré insensible aux choses. Il les a utilisées et aimées en en faisant un objet de prédication.

Par la suite, nous avons fini par transformer Jésus en un pur philosophe, intéressé seulement aux choses abstraites, aux péchés et aux lois, à la métaphysique et aux dogmes. Le christianisme primitif n'était pas ainsi; il était beaucoup plus paradoxal qu'aristotélicien, plus viscéral et moins logique, plus positivement oriental, plus amant de la vie, plus proche de la souffrance et de la misère. Sévère pour le pouvoir, mais tendre pour la fragilité des sans-pouvoir, des parias. Tels ont été également à l'origine Bouddha et Mahomet.

Habituellement, les Églises croient très peu dans la sacramentalité des choses. Elles les considèrent tellement sans âme que, pour les rendre vraies et inoffensives, pour les sacraliser, elles ont besoin de les bénir au moyen des rites sacrés. Alors que les choses sont déjà saintes en elles-mêmes si l'homme ne les pervertit pas ; elles n'ont pas besoin non plus d'être exorcisées, car elles n'ont en elles aucun démon, mais le baiser du créateur.

C'est l'usage que les hommes font des choses qui les transforment en bonnes ou mauvaises. Elles sont toujours bonnes parce qu'elles sont la chair de notre chair, comme disent les scientifiques. L'atome est une créature de Dieu. Et même lorsqu'on le divise et qu'on fait vibrer sa force, il continue d'être bon. C'est seulement quand l'homme utilise la désintégration de l'atome pour tuer la vie, et non pour la libérer, que l'atome se retourne contre l'homme. Comme la vipère quand on marche dessus. Aucun animal n'est dangereux s'il n'est pas affamé ou ne se voit pas importuné et persécuté.

C'est nous en quelque sorte qui lançons vers les choses des vibrations négatives qui les pervertissent. C'est pourquoi, dans les mains de Jésus, le pain se multipliait et ne moisissait pas ; et le vin vieillissait, et avec la boue et la salive il soignait les yeux des aveugles. Jamais il n'a utilisé les choses contre leur nature. Il leur faisait exprimer toute l'énergie qu'elles recelaient. Il les transformait en sacramentaux sans rien y ajouter, sans rites particuliers, parce qu'il croyait en leur bonté et en leur force intérieure, comme l'eau ou l'huile. Dans ses mains, tout devenait vital, thérapeutique. Parce qu'il aimait tout de la passion humaine. Et être humains jusqu'au bout, c'est déjà être divins.

La déesse de l'arc-en-ciel

Longtemps, nous avons méprisé les religions africaines ou indiennes parce qu'on les considérait comme panthéistes et même païennes, parce qu'elles adoraient les choses, la nature, en les faisant devenir des divinités. En réalité, ces religions possèdent un amour de la nature que nous avons perdu et, ce faisant, nous ne nous reconnaissons plus nous-mêmes qui sommes fils de cette terre et de ces arbres.

Certains Africains nous assurent qu'il existe une déesse qui vit dans les arcs-en-ciel. Il s'agit d'une formidable figure poétique. Elle signifie l'amour et l'admiration pour les phénomènes de la terre. Comme les divinités qui habitent au fond des eaux cristallines des ruisseaux et dans les ombres de la forêt. Mieux que plusieurs d'entre nous, ils ont eu l'intuition que toute la nature est digne de sollicitude, de révérence et d'amour parce que nous naissons d'elle et que nous y retournons. C'est pourquoi ils savent vivre avec la nature et ils l'aiment ; et elle les protège.

On me racontait, dans le Mato Grosso, en Amazonie brésilienne, que, perdu dans la forêt, personne d'autre qu'un Indien, pas même un paysan, ne serait en mesure de survivre plus de quarante-huit heures. L'Indien connaît la forêt parce qu'il vit avec elle, il l'aime et la respecte. Les Indiens n'ont pas besoin de lois spéciales pour sauvegarder la forêt, car ils en sont les meilleurs protecteurs. C'est pourquoi ils possèdent parfois une spiritualité et une sagesse que nous avons perdues.

Une poétesse indienne, de passage à Rome, avait écouté avec un certain air sournois une discussion sur l'importance pour la civilisation moderne d'être également perméable aux cultures ancestrales indiennes pour les enrichir. À la fin du débat, elle intervint très calmement pour dire qu'un Blanc, placé devant un paysage de la nature, est incapable de distinguer plus de cinq tonalités de vert, alors que les yeux d'un Indien peuvent en saisir jusqu'à deux cents. Car il y a des choses qu'aucune technique ne peut donner : elles ne s'acquièrent que par des milliers d'années d'observation et d'amour pour le créé. Comme l'amour que le grand-père maternel de l'écrivain José Saramago avait pour les quatre arbres de son jardin, au point de vouloir les embrasser pour en prendre congé avant de mourir.

Nous, les Occidentaux, par exemple, nous sommes en train de perdre le sens de l'odorat et du toucher parce que nous n'aimons plus les choses ni ne sentons leurs vibrations les plus intimes. Nous ne distinguons pas le toucher d'une main amie ou suppliante ; nous avons peur du contact humain comme s'il s'agissait d'un péché. En retournant au prophète de Nazareth, j'ai toujours été impressionné par ce passage de l'Évangile où Jésus, pressé par la multitude, demande qui l'a touché. Les apôtres se mettent presque à rire et lui disent que tous sont en train de le toucher. Mais Jésus répond : « Non, il y a quelqu'un qui m'a touché d'une façon particulière. » Il avait senti les vibrations de l'hémorroïsse qui l'avait touché avec amour et avec foi, espérant être guérie par le prophète ami de la vie.

Au cours du prochain siècle, l'humanité a besoin de récupérer les choses perdues, l'essence des objets et de tout ce qui l'entoure, récupérer la force de ses sens parce qu'aujourd'hui, l'homme regarde sans voir, écoute sans entendre et touche sans aimer. Il a besoin de quelqu'un qui lui rappelle que même l'esprit est fait d'atomes et de molécules, que l'intelligence passe par les profondeurs des neurones du cerveau, que le sexe est fait de vibrations humaines qui cherchent l'étreinte et l'union et qui cherchent à créer la vie et non à la détruire.

Dans cette perspective, les fours crématoires des camps de concentration n'auraient pas été possibles ; les différents, les sans-patrie et les sans-ressource n'auraient pas été méprisés non plus. Car on comprendrait mieux que nous sommes tous modelés de la même argile bénie de cette terre qui crée les choses et les êtres vivants : non pas pour qu'ils soient offensés, rejetés, humiliés, mais pour qu'ensemble ils entonnent un hymne de louange et d'amitié à la même terre qui les accueille tous également. Comme le soleil qui illumine et réchauffe tout le monde sans distinction de race ou de couleur parce qu'il ne s'épuise pas en se donnant, et ne s'éteint que lorsqu'il cesse de réchauffer. N'aurions-nous pas besoin de retourner au Dieu de la terre, après nous être trop égarés dans les divinités des cieux ?

5

Le Dieu de la poésie et de la littérature

PAROLES

Les paroles sont jongleries
du poète
voiles perdues pour toujours,
à l'intérieur de la nuit
à l'intérieur du temps :
parfois pour une seconde
ses griffes se posent sur la peau
et tout peut être dit :
l'eau, la lune, la pierre
un puits où
un visage ancien surnage.
Pour que flotte
à peine un souffle
quand la fenêtre s'ouvre
et que les passereaux transportent le vent.
Parmi les paroles absentes
j'invente ton nom
comme le cri de la lumière primale.
La vie est précaire équilibre.

Roseana Murray

En vue de chercher un nouveau Dieu pour les années 2000, il faudra passer par la poésie, retourner à la poésie. Borges affirme que «la fée poétique est une suspension volontaire de l'incrédulité». Au cours du siècle qui se termine, l'abandon de l'idée de Dieu est allé de pair avec un certain oubli de la poésie. «Cela ne se vend pas», disent les grandes maisons d'édition.

Retourner à Dieu, c'est aussi retourner à la poésie. Et inversement. Car ce n'est qu'à travers la poésie que nous pouvons récupérer la stupeur, savoir nous émerveiller des choses, ne pas en avoir peur, ne pas être indifférents à leur égard. Le courant qui passe entre toi et ce que tu as devant toi est un courant qui contient toujours quelque chose de divin. Et c'est ce que capte la poésie.

La poésie élimine la peur. Le Dieu de la poésie peut-il être un Dieu cruel? Car la poésie finit par aimer tout ce qui chante, même la souffrance. Non, le Dieu cruel, le Dieu qui ne crée que les peurs, n'est jamais le Dieu de la poésie, de l'art, de la littérature créatrice. Il est celui de la prose vulgaire du pouvoir ayant prostitué les mots qui, dorénavant, ne signifient rien, n'émeuvent plus, ne crient pas en dedans, ne rendent pas amoureux.

Dieu a souvent été laissé en dehors de la poésie, si on excepte les mystiques. On pense que Dieu doit être étranger à la littérature.

Pourtant, le grand document religieux de l'humanité, la Bible, est poésie. Parfois déchirante, mais toujours une poésie qui parle de Dieu et l'interpelle, et ne le nie jamais. Et la plus belle poésie d'amour, et d'amour sensuel, de toute la littérature se trouve dans la Bible. C'est le *Cantique des Cantiques* : la métaphore d'un Dieu qui aime les hommes de l'amour le plus tendre et le plus passionnel en même temps. Un amour non seulement spirituel mais également corporel.

Il est difficile pour les grandes religions, à commencer par la religion chrétienne, de ne pas identifier Dieu à l'amour, même si elles finissent par le limiter à un amour purement spirituel. Aucune ne nie que Dieu a quelque chose à voir avec l'amour pour les hommes. Et toute la poésie du monde est toujours, d'une manière ou d'une autre, une poésie d'amour. Généralement d'amour frustré, déchirant, brûlant, mais toujours d'amour. C'est pourquoi Dieu, le Dieu de l'amour, est toujours de quelque façon présent dans la poésie, comme il l'est dans la bonne littérature. Il n'existe pas de roman de valeur qui ne soit pas en définitive une histoire d'amour, heureuse ou malheureuse.

S'il est certain, comme l'affirment les mystiques et les théologiens plus modernes, que pour expérimenter quelque chose de l'essence de Dieu, du divin, il faut passer par une forte expérience d'amour, il n'y a pas de doute que Dieu est présent dans chaque page littéraire, dans chaque verset de n'importe quelle bonne poésie, dans la mesure où, au fond, elle se rapporte toujours à l'amour.

Il est plus facile de comprendre quelque chose de la complexité de Dieu en cherchant dans la littérature que dans le langage froid des lois. En Dieu est latent le cœur de l'homme, et tout le meilleur et le pire de l'homme : ses sentiments, ses relations, ses folies, ses magies, ses ombres et ses illuminations se rencontrent dans la littérature.

Curieusement, lorsque les hommes se mettent à définir ce qu'est la poésie ou ce que signifie être poète, ils font, même sans le prétendre, une radiographie de ce que pourrait être le Dieu que recherchent les humains : non pas un Dieu bureaucrate, juge, notaire de nos erreurs, mais le Dieu qui comprend le mystère de l'humain, qui appelle le divin, qui est mystère et inquiétude, mais qui est aussi lumière, sourire, frémissement d'amour.

Pour vérifier ce que je suis en train de dire, j'ai cherché quelques citations d'auteurs qui parlent du poète et de la poésie. Essayons de substituer au mot « poète » le terme « Dieu » et nous verrons comment nous nous trouvons devant une photographie du divin.

Par exemple, Victor Hugo affirme qu'« un poète est un monde enserré dans un homme ». Or tel est Dieu, un monde caché dans le cœur de l'homme, son grand mystère, son frémissement.

Pour le poète espagnol Antonio Machado, « l'âme du poète s'oriente vers le mystère ». Dieu, lui aussi, n'est rien s'il n'est pas mystère. Et ensemble la grande ténèbre et la grande splendeur.

Le même poète écrit : « Ce n'est pas le moi fondamental que cherche le poète, mais le tu essentiel. » Exactement comme Dieu qui, s'il existe, doit rechercher ce tu essentiel, l'autre, sans se refermer sur lui-même. C'est le Dieu de la relation, de l'embrassement de l'homme.

Selon Octavio Paz, « le poète est le point d'intersection entre le pouvoir divin et la volonté humaine ». Si nous changeons le mot « poète » par le mot « Dieu », nous obtenons de lui une magnifique définition. Car Dieu ne peut pas ne pas être ce point de jonction entre le divin et l'humain, le pont qui les unit et finit par les fondre ensemble.

José Bergamín a écrit que « le poète n'a pas peur de l'obscurité. Plus le poète est obscur, plus claire est sa poésie. La lumière la plus profonde se livre à l'obscurité la plus profonde. Si tu veux exprimer la lumière, fais l'obscurité dans ta chambre. » Ces mots pourraient très bien être l'explication de ce qu'ont dit de Dieu certains grands mystiques religieux : le jeu de Dieu comme lumière et ténèbre, et de ce qu'ils ont dit de l'homme qui ne peut comprendre Dieu qu'à travers le mystère de l'obscurité. Ce n'est que de cette façon que peut se faire la lumière.

Le même auteur écrit : « La poésie pure est claire comme l'eau, comme la lumière ; et c'est pourquoi elle est inexplicable, parce qu'elle est simplement élémentaire. Ce qui est obscur n'est pas difficile, et ce qui est clair n'est pas non plus facile, logique et rationnel ; la luminosité est incompréhensible. » Même ici, il suffit de changer le terme « poésie » par « Dieu » pour obtenir une magnifique définition du Dieu inexplicable, qui est à la fois lumière et obscurité parce qu'il est mystère, comme l'amour.

Il existe un dialogue de Pablo Antonio Cuadra entre une jeune fille et un étranger qui pourrait bien être une rencontre amoureuse entre Dieu et la créature. Le texte dit : « La jeune fille demanda à l'étranger : Pourquoi n'entrez-vous pas ? Un feu est allumé dans mon foyer. Le pèlerin répondit : Je suis poète, je veux simplement connaître la nuit. Alors, elle jeta les cendres sur le feu et, dans l'ombre, s'approcha de l'étranger en murmurant : Touche-moi et tu connaîtras la nuit. » Une gentillesse qui me rappelle celle de Jésus de Nazareth avec la Samaritaine qui lui avait offert l'eau du puits. Jésus lui dit qu'il avait une autre eau et que celui qui la boit n'aura plus soif. Ici, ce n'est pas l'eau mais la nuit qui est la métaphore de l'amour.

Une autre fois, c'est l'obscurité parce que le poète,

comme Dieu, n'a pas peur des ténèbres, de la nuit, de la mort, de ce que nos yeux ne sont pas capables de voir. Comme les oiseaux de la forêt, Dieu ne se perd pas dans la nuit. Voilà pourquoi il sait voir à travers les plus grandes obscurités du cœur humain. Voir et comprendre. C'est pourquoi il ne juge pas, mais absout. De la croix, Jésus dit à Dieu : « Pardonne-leur, car ils ne savent pas ce qu'ils font. » S'ils ne savent pas ce qu'ils font, ils ne peuvent être jugés, mais seulement absous et ensuite aimés. Ainsi agit le Dieu de l'amour ; qui n'est pas celui de la justice, si semblable à la mesquinerie, celle qui ne sait pas pardonner parce qu'elle ignore ce qu'est aimer.

Pourquoi toutes les amours littéraires finissent-elles mal ?

J'ai demandé à un poète pourquoi presque toutes les amours de la poésie, et surtout de la littérature, finissent toujours mal, détruites, désespérées, dramatiques, et pourquoi aucun romancier n'est capable d'écrire l'histoire d'un amour achevé, heureux, pensant que c'est irréel, bête. Sa réponse a été que la littérature a besoin de conflits, reflets du conflit que tout homme, et même l'écrivain, vit en lui. Le conflit de ne pas savoir pourquoi on naît et pourquoi on meurt. Le poids que porte chaque homme sur ses épaules se sentant inachevé, incapable de s'accomplir.

Et tout cela parce qu'on lui a présenté un Dieu trop éloigné de l'homme, trop différent, trop puissant, trop extérieur, alors que Dieu doit être cherché en nous, dans les profondeurs de notre conscience.

Ce n'est que le jour où l'homme perdra la peur d'être Dieu, c'est-à-dire d'être divin en plus d'être humain, capable de rêver à plus grand que la poésie elle-même, que la littérature perdra ses peurs et son sentiment de culpabilité, qu'elle volera avec des ailes neuves et saura chanter des versets d'un amour capable de vaincre la mort même. Et alors, elle saura nous dire aussi quelque chose des entrailles du bonheur, et non seulement du malheur, car nous en savons déjà beaucoup sur ce dernier, presque tout, étant donné que chaque jour nous devons faire nos comptes avec elle. Pourquoi la poésie ne pourrait-elle pas aussi nous faire rêver à quelque chose de mieux, à des espérances nouvelles, sans devoir toujours nous effrayer par un amour et un bonheur qui ne sont que des prérogatives divines, c'est-à-dire inaccessibles pour des humains ?

Il est certain que l'humanité ne parviendra jamais à posséder un bonheur chimiquement pur. Chaque plaisir est uni à une souffrance. C'est pourquoi il y a des gens qui ont peur d'être heureux, car ils pensent que plus le bonheur est ardu, plus pénibles seront ensuite le désenchantement et l'amertume. Il ne manque pas de gens non plus qui préfèrent toujours souffrir, parce que de cette façon ils ne souffriront pas davantage lorsqu'ils auront perdu le bonheur.

C'est pourtant un fait certain qu'il n'existe pas d'enfers purs, ni de souffrances absolues. En quelque amertume que ce soit, il y a toujours des gouttes de miel dispersées qu'il faut savoir retrouver. Même dans cette folie d'inhumanité que furent les camps de concentration, il y eut des étincelles d'humanité, et non pas seulement un désespoir définitif. Il y eut des suicides, mais aussi celui qui a été capable d'offrir sa propre vie pour son compagnon, comme dans le cas du franciscain polonais Maximilien Kolbe qui, face au désespoir de son compagnon de baraque condamné à la cellule de la mort et qui avait une famille et des enfants, s'offrit comme volontaire pour mourir à sa place, prétextant que lui était seul dans la vie. Et ils l'exaucèrent sans difficulté avec une injection létale. De fait, à la différence de ses compagnons qu'on a fait mourir de faim et de terreur un par un, il continuait à chanter et à réciter des hymnes à son Dieu, et ne mourait pas.

Même lorsque le feu semble s'être éteint dans le foyer, il est possible de trouver une étincelle capable de le raviver. C'est ce qu'ont bien compris les grands romanciers et les grands poètes qui ont su trouver dans le récit des grands drames et des tragédies le fil d'une histoire d'amour, si malheureuse soit-elle. Comme pour vouloir indiquer que tout n'est jamais perdu, même dans les abîmes les plus ténébreux du malheur. Il y a toujours une espérance de rachat.

C'est cette autre partie cachée de l'homme qui lutte intérieurement contre le sentiment de culpabilité atavique qui lui a été imposée, contre une condamnation définitive au malheur. Et dans les cendres et les décombres du désastre d'une relation d'amour, les littéraires sont capables de faire étinceler que rien n'est définitivement impossible sur cette terre. Et cela pour ne pas vouloir tuer définitivement la possibilité qu'un dieu invisible puisse filtrer des plis de la souffrance la plus atroce, et de la situation la plus désespérée, insufflant un souffle d'espérance obscure.

La poésie présente toujours les choses comme si elles venaient d'être faites. Elle est créatrice parce qu'elle dérange l'ordre des choses. Pour cela, elle restitue les vieilles choses comme si elles étaient neuves, à peine commencées. C'est pourquoi toute vraie poésie est un miracle. Elle est comme la révélation de ce que chacun de nous porte en lui-même et qu'il n'est pas toujours capable d'exprimer par des mots.

La poésie a toujours quelque chose de divin.

C'est pourquoi il y a beaucoup de divin dans la poésie. Et si Dieu existe, il doit être la grande poésie du monde, celle qui sait donner un nom à chaque être et à chaque chose, celle qui nous fait sortir de l'anonymat, nous fait nous sentir vivants et réels, et qui scrute dans le plus profond de notre conscience, dans le bien et le mal. Elle nous dénude et nous révèle à nous-mêmes.

La poésie est donc fondamentalement révolutionnaire et sacrée, un mystère qui secoue notre conscience, elle ne nous laisse pas tranquilles, elle déstabilise l'ordre que nous nous étions créé comme bouclier et comme défense contre nos peurs.

Toutes les poésies, comme tous les poètes, ne se ressemblent pas. Comme les dieux, il y a des bureaucrates, de purs défenseurs de la loi et de la légalité, et il y a des divinités créatrices qui ouvrent à l'amour, qui vous régénèrent chaque jour et vous font rêver à l'impossible, qui ne vous laissent pas dormir.

Que doivent avoir le poète et l'écrivain pour remuer les eaux du plus profond de l'être, pour se rendre crédibles et surtout aimés ? Quand vous les lisez, pourquoi ressentez-vous une sorte de complicité avec leur âme, pourquoi vous parlent-ils avec des mots que vous n'avez pas mais que vous voudriez avoir pour vous raconter à vous-même votre mystère et vos angoisses les plus authentiques ? Claude-Edmonde Magny l'exprime très bien dans les *Lettres sur le pouvoir d'écrire*, quand elle affirme : « Je dirais volontiers : personne ne peut écrire s'il n'a pas le cœur pur, c'est-à-dire s'il n'est pas suffisamment détaché de lui-même. » En effet, c'est seulement ainsi, avec une telle pureté d'âme et un tel regard sur l'autre qu'on peut, comme Dieu, être l'interprète des sentiments les plus intimes, des sentiments universels qui nichent dans le cœur de tout être humain, si illettré et endormi soit-il.

L'écrivain et dramaturge Jorge Semprun, qui vécut les

horreurs d'un camp de concentration nazi, commente en ces termes les mots de Magny : « Leur sens est clair : si elle prétend être quelque chose de plus qu'un jeu ou qu'une invitation, l'écriture n'est rien d'autre qu'un labeur prolongé et interminable d'ascétisme, une façon de se détacher de soi-même. »

C'est exactement le contraire de l'écriture et de la poésie narcissiques qui ne s'occupent que de leur propre nombril en oubliant l'autre et sont incapables de traduire le meilleur de la conscience de celui qui écrit. Voilà pourquoi il existe une poésie et une littérature qui ne résonnent pas de l'intérieur, qui ne font pas vibrer les cordes de votre être le plus secret. Elles ne connaissent qu'un amalgame de mots sans âme, sans force de provocation, sans capacité de remuer les eaux pour qu'elles ne croupissent pas, vous laissant indifférent, froid, désenchanté.

Et c'est ce qui se passe, dans le fond, avec bon nombre de religions qui proposent une foi qui n'interpelle pas, n'interroge pas et n'enthousiasme pas, qui ne convertit pas et ne donne pas le goût de faire la rencontre de ce qu'il y a de meilleur en nous, qui coule sur notre peau sans la tacher ni la nettoyer. Ce sont les religions qui sèment l'aridité dans l'âme au lieu de la faire refleurir, qui nous éloignent de Dieu au lieu de nous laisser brûler par lui.

En cette fin de siècle, l'humanité n'a pas encore trouvé la poésie qui la fasse rêver de temps moins obscurs, capables de dissiper ce pessimisme existentiel qui fait suffoquer les personnes. Un jour, devra se réveiller en nous un Dieu capable d'écrire cette poésie nouvelle sur le front des hommes et des femmes, afin de retrouver la joie de vivre, l'enthousiasme créateur, et de découvrir que tout n'est pas encore perdu et que dans n'importe quel coin de l'existence on peut espérer un baiser de rêve, une lumière en laquelle on n'a pas encore cru, un miracle que l'on croyait impossible. Une poésie qui fasse crier un immense chant de paix à l'humanité, un chant de respect et de sollicitude pour tout ce qui est le plus fragile, le plus pur, le plus innocent. Une poésie qui n'inspire la peur que pour une seule chose : le fait que les hommes ne soient pas en mesure de se reconnaître égaux, non seulement devant Dieu, mais aussi face à leur propre conscience.

Nous ne savons pas ce qui attend l'humanité au cours du nouveau siècle et du prochain millénaire qui se profilent à l'horizon. Ce sera comme toujours, diront quelques-uns. Mais, par bonheur ou par disgrâce, ce ne sera pas comme toujours, ce sera quelque chose de différent, car, bien que la souffrance semble la même, elle peut toujours être plus intense, et pourrait même être pire, bien pire. Mais elle pourra aussi être meilleure, bien meilleure. Tout dépendra du Dieu en qui l'on croira, car, en définitive, tant les athées que les croyants se mettent du côté de l'un ou l'autre Dieu : celui qui permet à certains hommes d'abuser des autres, ou celui qui rappelle de manière brutale qu'il n'existe aucun bonheur individuel, et que nous ne serons heureux ou malheureux que tous ensemble.

Nous avons été créés pour aimer. Et si le monde tient encore debout, malgré tant d'enfers, c'est qu'en définitive il n'a pas perdu confiance de pouvoir aimer. On sait tous, par expérience personnelle — si on n'a pas perdu la lumière de la conscience ou si on n'est pas devenu complètement fou —, qu'il n'est pas possible de goûter un amour en paix si, en même temps, on empêche que d'autres aussi puissent en jouir. Le plaisir au prix du malheur d'autrui est un plaisir démoniaque qui, à la fin, se transforme en misère sombre.

L'histoire est pleine de la triste et vaine expérience de

prétendre au bonheur au prix de la souffrance et du mépris de l'autre. Ce n'est qu'en partageant les joies et les souffrances, en divisant votre petit ou grand morceau de pain dur que vous pourrez vous sentir digne d'être homme et de goûter sans sentiment de culpabilité tout le bonheur que les dieux déposent à votre porte.

6

Le Dieu de la solidarité

SOLIDARITÉ

Tendre la main à l'autre,
comme s'il y avait à cueillir
une étoile
ou un lys
ou tout le parfum
d'un bosquet.
Tendre la main à l'autre
dans le geste le plus pur et le plus ancien,
comme s'immerge un seau
dans le puits des eaux profondes,
connues et inconnues.
Toucher du doigt le mystère de l'autre
pour comprendre son propre mystère.
L'atteindre dans ce qu'il a
de différent et de transparent,
et dans son visage découvrir
son propre visage et la parole
humanité.

Roseana Murray

Une parole entre avec force dans le nouveau millénaire : la solidarité. C'est une espèce de nouvelle éthique qui fait son chemin sur tous les continents et qui indique un trait du visage du nouveau Dieu pour le siècle qui va commencer.

Pour mieux comprendre la force de cette réalité — qui, en Occident seulement, amène déjà des millions de personnes, surtout des jeunes, à s'engager pour la cause des plus abandonnés de n'importe quelle partie du monde, et ce tant au niveau individuel qu'à travers les diverses ONG (organisations non gouvernementales) — il convient d'observer ce qu'a signifié son contraire : la non-solidarité. Ce fut l'oubli et le mépris du frère qui, proche ou loin, est resté en dehors des engrenages du monde opulent, oublié sur les marchepieds de la vie. Ce fut le spectacle le plus honteux de notre monde de riches.

Les Évangiles avaient déjà prophétisé que les pauvres seraient toujours parmi nous. Et, de fait, aucun système politique ou social n'a réussi à éliminer de notre entourage les dépossédés pour qu'ils puissent mener une vie digne (malgré le fait que tous soient appelés à jouir des biens de la terre, créés pour tous et non pour la jouissance de quelques-uns seulement). En dépit du progrès scientifique et technologique qui aurait dû résoudre le problème de la misère, c'est un fait qu'il existe actuellement dans notre monde 20 % de la population mondiale qui est soixante fois plus riche que les 20 % les plus pauvres. Quatre cents multimilliardaires concentrent à eux seuls plus de richesse que la moitié de la population mondiale.

Le capitalisme effréné a considéré comme normal le fait que, dans la course à la réalisation de soi, il y en ait qui perdent pied et finissent sur la paille. Il lui semble que cela fait partie du mécanisme. Et, éventuellement, pour éviter que ceux qui restent au-dehors puissent se rebeller et gâcher la vie des nantis, il accepte que les États aident d'une certaine manière les pauvres malheureux pour qu'ils ne meurent pas de faim et de désespoir. Mais rien de plus, car on considère comme normal qu'il y en ait qui, mieux que d'autres, soient capables d'accumuler les richesses.

Ce qui arrive finalement, c'est que les États se préoccupent davantage d'améliorer la vie de ceux qui possèdent — puisque ce sont eux qui détiennent le pouvoir et conditionnent l'État —, et non pas de ceux qui perdent pied ou trébuchent dans cette course infernale à l'enrichissement. À la fin, les pauvres sont si faibles qu'ils n'ont même plus la force de se rebeller ; et nous nous habituons tous à passer à côté d'eux, à enjamber leurs corps épuisés sur les trottoirs de nos villes opulentes, comme si cela faisait partie du paysage. Sans compter les pauvres anonymes, invisibles à nos yeux.

La gauche a toujours soutenu que l'unique solution pour venir à bout des pauvres et des inégalités entre les êtres humains, c'est de changer les structures du pouvoir capitaliste, pour permettre à tous d'accéder à la distribution des richesses. Mais même parmi les gens de gauche, il y a eu différentes positions, depuis le communisme rigide qui proposait l'égalité absolue entre tous les hommes avec l'abolition nécessaire de la propriété privée, jusqu'à celle, moins utopique, des social-démocraties qui acceptent un certain degré d'inégalité, mais sous le contrôle de l'État, pour que les disparités ne s'aggravent pas de manière incontrôlée. En même temps, par des lois appropriées, l'État devra défendre les moins privilégiés pour assurer à tous dignité, nourriture, vêtement, protection de la santé, accès à la culture.

Et même si l'utopie des premiers chrétiens s'approchait davantage de celle du communisme plus rigide, prêchant que tous les biens devaient être mis en commun pour être répartis selon les besoins de chacun, il n'y a pas de doute que notre société moderne a compris qu'une utopie semblable — celle des premiers chrétiens — est, en fait, inaccessible, et qu'on doit s'adapter aux ajustements de la social-démocratie pour rendre impossible la formation de poches insupportables de pauvreté dans notre monde opulent.

Mais cela, c'est en théorie. Parce que, en pratique, nous constatons, soit dans les zones de capitalisme pur — comme aux États-Unis, par exemple, où existent aujourd'hui plus de 30 millions de pauvres qui ne disposent de rien, abandonnés à leur sort —, soit dans les sociétés européennes plus socialisées, que personne n'a été capable d'éviter qu'il y ait des gens contraints à vivre sans l'indispensable pour survivre et mener une vie digne d'êtres humains.

Alors, qui prendra soin de ces pauvres ? Comment résoudre le problème ? Si ce spectacle des multitudes sans un minimum vital est une épine plantée dans la chair des personnes le moindrement sensibles, ce problème est doublement brûlant pour le chrétien. En effet, il professe une foi qui lui enseigne, au moins théoriquement, que le visage invisible de Dieu est caché dans ces pauvres et ces déshérités.

La solution idéale serait sans doute que les États ne permettent pas l'accumulation des richesses dans les mains du petit nombre, pour faire en sorte que tous, sans distinction, puissent vivre sans angoisse. Comme cela se produit dans les bonnes familles, lorsqu'il y a abondance : tous les enfants doivent y avoir accès ; et quand existe la pénurie, le peu qu'on a doit être partagé entre tous pour que personne ne soit affamé ou, dans le pire des cas, pour que même la faim soit partagée à part égale.

La solidarité, un mouvement de l'âme

Mais qu'est-ce qui se passe quand les choses ne fonctionnent pas de cette manière ? Quand les États ne veulent pas ou ne savent pas résoudre le problème et que les pauvres continuent à augmenter autour de nous ? C'est justement à partir d'ici que, dans le monde entier, est soudainement né le soi-disant mouvement de solidarité, qui n'est pas que pure charité, pure aumône, mais beaucoup plus. C'est une espèce de suppléance volontaire par rapport à ce que les États sont incapables de réaliser. En effet, la solidarité naît avant tout d'un mouvement de l'âme, du refus qu'un seul être humain doive demeurer exclu des ressources minimales pour affronter son existence. C'est comme une illumination, religieuse ou laïque, qu'il ne devrait pas y avoir de frères abandonnés sur le chemin de la vie, comme s'ils n'étaient pas des personnes.

C'est pourquoi la solidarité moderne qui mobilise des millions de personnes de toutes les croyances et de toutes les classes sociales ne se contente pas de donner du pain aux affamés. Elle a très bien compris qu'il ne suffit pas de remplir l'estomac de celui qui est incapable de pourvoir à ses propres besoins, mais qu'il faut lui donner les instruments nécessaires pour qu'il puisse affronter lui-même la vie. C'est le refrain classique qu'il vaut mieux enseigner aux gens à pêcher que de leur donner des poissons. Même si certaines fois les deux sont nécessaires, on ne peut mépriser l'aumône ou l'aide matérielle ponctuelle, car, pendant que les pauvres de toute sorte apprennent à pêcher, on ne peut pas laisser ceux-ci affamés, nus, abandonnés à leur sort.

La donnée importante de la solidarité moderne est qu'il ne s'agit pas, comme en d'autres époques de l'humanité, de pacifier notre conscience en aidant matériellement celui qui est dans le besoin, passeport facile des riches pour se sentir en paix et pouvoir jouir de leurs richesses injustes en donnant à manger à quelque affamé, comme si toute leur responsabilité se terminait là.

Non. La solidarité, c'est beaucoup plus, car elle va bien au-delà. Elle part, en effet, de l'idée qu'il faut affronter l'injustice structurelle de notre capitalisme engendrant la misère avec les deux armes à notre disposition. D'abord la critique ouverte et constante de telles structures, en exigeant des États et des puissants qu'ils changent les choses, et en contribuant par le vote politique à favoriser ceux qui sont disposés à le faire par la lutte contre les dictatures. Ensuite, en se retroussant les manches pour faire quelque chose soi-même, sans attendre que tout soit fait par les autres, avec l'excuse hypocrite qu'on ne peut à peu près rien faire tant que les structures ne seront pas changées. À l'inverse, il y en a qui avancent la théorie qu'il vaut mieux ne pas lénifier la pauvreté par des apports personnels pour qu'elle continue là, vive, à la face du pouvoir, à stigmatiser son inefficacité ou son manque de sensibilité.

Mais n'est-ce pas trop facile ? En effet, tous ces gens, peu nombreux ou très nombreux, qui sont en train de se mobiliser pour faire quelque chose, manifestent la non-acceptation de cette philosophie de la résignation et leur volonté d'agir. Et, en fait, ils ont fini par mobiliser aussi certains États qui aident diverses organisations dans leur intention de résoudre de graves conflits présents dans le monde de la pauvreté.

Si au début — peut-être parce que les premiers mouvements de solidarité sont nés dans des milieux chrétiens — on a considéré qu'il s'agissait de mouvements conservateurs, à la fin ce sont justement les laïcs et les non-croyants qui se sont mis à appuyer un tel mouvement de solidarité, lequel, en même temps, contribue à faire prendre conscience à tous qu'il vaut mieux faire quelque chose que de demeurer les bras croisés.

Au philosophe non croyant Fernando Savater qui défendait ce mouvement de solidarité mondiale, quelqu'un a rappelé de façon polémique que le pape Wojtyla lui aussi prêchait la solidarité. Le philosophe espagnol répondit que ça lui était égal que ce soit le pape ou le diable. Il était d'accord, parce qu'il croyait que cela faisait partie d'un éveil à une nouvelle éthique, pouvant servir à faire prendre conscience que si on veut en finir avec les guerres dans le monde et soulager tant de souffrances inutiles, il est nécessaire de se rendre compte que personne ne doit être injustement exclu des biens de la terre.

C'est à partir d'ici que prennent forme les nouveaux concepts d'éthique, matière à discussion dans beaucoup de rencontres internationales. On part de la récupération du concept fondamental selon lequel l'homme n'est pas un être solitaire capable d'auto-bonheur. Qu'on le veuille ou non, l'homme a été créé pour la relation, pour le dialogue avec les autres, pour la rencontre : sans les autres, il ne saurait même pas qui il est, et il ne peut être heureux que si le bonheur grandit autour de lui.

Comme le dit bien Leonardo Boff dans son ouvrage *Les braises sous la cendre*, « l'être humain habite toujours solidairement le monde » ; c'est pour cette raison que « personne n'est une île ou une météorite errant dans l'espace ». En effet, ajoute le théologien brésilien, « nous appartenons tous les uns aux autres et nous nous trouvons tous à l'intérieur d'un champ d'énergie bénéfique. Tous, nous sommes l'univers qui ressent, pense, aime, se solidarise et vénère. »

C'est pourquoi on soutient qu'il faut découvrir la nouvelle éthique de la relation, de l'échange, du métissage, de la contamination culturelle. Il n'existe pas d'amours solitaires : nous aimons l'autre ou nous nous aimons à travers l'autre. Personne ne voit son propre visage s'il ne se regarde pas dans le miroir. L'autre, le prochain qui, à tout moment, contemple notre visage, est le témoin le plus fidèle des mouvements de notre âme reflétés sur notre figure. Dès lors, ce sont les autres qui nous révèlent à nous-mêmes. Ils nous donnent notre véritable identité, nous disent comment nous sommes. Seuls, nous perdrions notre identité.

Si nous avons besoin des autres pour être ce que nous sommes, il est évident que l'autre est digne de respect, d'amour et d'attention. C'est pourquoi nous ne pouvons pas être étrangers à la misère et à la mésaventure du prochain, comme si nous pouvions vivre en paix avec cet oubli. L'ancien cri biblique qui demandait à Caïn ce qui était arrivé à son frère, qu'il avait tué par envie, continue de résonner dans la conscience de l'homme chaque fois qu'on sacrifie injustement quelqu'un à ses côtés. Nous sommes tous frères sur cette planète terre où personne ne peut être étranger à personne, sous peine de voir la planète se transformer petit à petit en un enfer d'incommunicabilité et de solitude.

Les hommes ont un besoin chaque fois plus urgent de trouver de nouvelles formes d'éthique qui assurent au moins la défense des droits fondamentaux de tout être qui arrive dans ce monde. Et parmi ces droits minimaux qui pourraient être acceptés par tous les peuples et par toutes les croyances religieuses, il y a le droit d'être libre, un droit qui comporte nécessairement la possibilité de faire face aux besoins minimaux de l'existence. Autrement, nous retournerions aux temps où la société acceptait l'esclavage comme une chose normale. Mais notre société peut-elle revenir en arrière sans se suicider ?

Le monde des déshérités peut déclencher la guerre

Dans toutes les rencontres, on discute, chaque fois avec un intérêt accru, de la façon de faire face au problème d'éloigner du monde — qui devient toujours plus un village global, toujours plus une intercommunication planétaire — le fantasme d'une catastrophe mondiale. Celle-ci ne pourra être évitée qu'en prenant conscience que, si on n'y trouve pas remède, le monde des déshérités — qui s'accroît de jour en jour jusqu'à devenir la très grande majorité — pourra mettre en péril notre paix et notre situation de privilégiés. C'est justement la prévision que font les plus pessimistes : le monde des déshérités du tiers et du quart-monde finira par mettre en crise la stabilité du premier-monde des riches, même si ce premier-monde possède pour le moment le pouvoir économique et les armes suffisantes pour l'empêcher. Mais demain ? Nous ne pouvons pas oublier que, dans l'histoire, des civilisations entières ont fini par disparaître pour toujours.

À propos justement du respect que l'homme doit avoir pour la nature et de la nécessité de reconstruire le pacte d'alliance avec elle, Leonardo Boff a visé juste en affirmant qu'on est devant l'alternative suivante : ou bien nous reconstruisons le pacte de respect pour les choses qui nous entourent, ou bien nous finirons par disparaître, comme disparurent un jour les dinosaures qui avaient existé pendant trois cent millions d'années.

C'est pourquoi on ne demande pas seulement pour le nouveau siècle une nouvelle éthique, mais aussi un Gouvernement mondial doté d'une force capable de résoudre les conflits qui s'accroîtront certainement avec la montée du néocapitalisme, lequel laissera toujours plus de pauvres sur le pavé. Un Gouvernement mondial qui devrait avoir la force d'imposer des structures sociales qui au moins limiteraient, à l'échelle planétaire, les injustices incroyables auxquelles, impuissants, nous assistons chaque jour, tant au niveau continental que sur le plan individuel. En effet, les différences entre les possédants et les déshérités deviennent chaque jour plus abyssales et ne peuvent mener qu'à des guerres d'extermination.

Comme s'en est rendu compte le philosophe français Edgar Morin, nous nous trouvons à un carrefour où l'antique barbarie s'ajoute à la moderne qui naît « du pouvoir anonyme de la technique, de la recherche du gain à tout prix, de la mécanisation de la vie, de l'aveuglement face aux souffrances de la vie humaine, et des différences d'identité ». Pour sortir de cette barbarie nouvelle et moderne, il nous manque une nouvelle éthique. Car celle des anciennes sociétés traditionnelles, dans laquelle le mode d'agir était imposé par la tradition, fût-elle sociale ou véhiculée par la foi en une religion révélée, ne suffit plus. Dorénavant, une telle éthique ne peut être imposée au niveau planétaire, et elle n'a plus d'utilité pour la société moderne de la globalisation et de la sécularisation, puisque, désormais, il n'existe plus de morales partielles qui puissent être imposées à toute l'humanité. C'est pourquoi le monde se trouve d'une certaine façon plus abandonné qu'autrefois, plus exposé à de nouvelles barbaries dans la mesure où les nouveaux requins, toujours disposés à profiter de l'indécision des autres, peuvent nager à leur guise dans le vide éthique qui s'est créé.

Les nécessiteux ont également faim de dialogue

Pour pouvoir en arriver à un Gouvernement mondial et à une nouvelle éthique capable de sauvegarder un respect minimal de la condition humaine sur les cinq continents, il est nécessaire de renforcer les faibles structures démocratiques des prétendus pays libres. En réalité, ce sont elles qui peuvent semer dans le monde le germe d'une nouvelle morale planétaire qui puisse être acceptée par tous. C'est pourquoi il faut que ces pays dits libres croient davantage dans les valeurs de la démocratie, de la participation de tous à la chose publique. Ils ont besoin d'une plus grande autorité morale parce que personne aujourd'hui n'est capable d'imposer impunément quelque chose par la force. Toute imposition finit par produire une rébellion. Le temps des esclaves et de l'impunité absolue achève, même parmi les peuples les plus misérables, lesquels sont en train de prendre conscience de leur dignité et des injustices dont ils ont souffert ; et ce n'est que sur la base du critère de l'égale dignité qu'ils peuvent accepter de traiter avec le premier-monde des issues possibles à la nouvelle barbarie qui les maintient écrasés et exploités.

Dans le contexte du divin et du religieux, il est évident que ces masses de pauvres, manquant de tout, sont les plus enclines à écouter l'appel des sirènes de service, celles des sectes aux nouveaux intrigants qui promettent des paradis faciles, mais en même temps, leur donnent bien peu de cette chaleur humaine que nous recherchons pour ne pas nous sentir seuls : quelque chose que les Églises traditionnelles ont cessé de donner. Comme aussi un certain sens du mystère qu'on ne peut déraciner du cœur humain, et qu'une sécularisation trop forte des anciens rites religieux a perdu en cours de route.

Une professeure de philosophie du tiers-monde, croyante et progressiste, me disait que d'une certaine façon elle comprenait pourquoi certaines sectes avaient tant de succès parmi les paysans les plus pauvres, malgré le fait qu'ils avaient près d'eux des Églises chrétiennes très progressistes et très modernes. Son idée, c'était que de telles sectes les emmènent avec succès à se sentir importants en leur donnant un sens de la famille, alimentant en eux le plaisir de la recherche du mystique, en leur donnant une espérance, aussi fausse qu'elle puisse nous paraître. Au contraire, bien des Églises chrétiennes, fortement sécularisées et rationalisées, offrent beaucoup de théologie, mais froide, dépouillée de rites et de mystères, et elles finissent par éloigner ceux qui cherchent dans la religion un minimum de chaleur.

La même chose peut se vérifier sur le plan de la solidarité et de la recherche d'un nouveau visage de Dieu pour les années 2000. En effet, ces déshérités qui n'ont rien et qui ont perdu toute espérance et toute confiance d'être aimés, peuvent facilement tomber, comme l'affirmait Paul VI, non seulement dans les mains de ceux qui les aiment davantage mais aussi dans celles de ceux qui savent mieux le leur démontrer. Une religiosité froide et trop rationnelle, privée de charisme, de mystique, qui ne rapproche pas la chaleur humaine de la chaleur religieuse, peut difficilement les attirer.

Je me souviens comment, dans les voyages du pape Jean-Paul II parmi les masses du tiers-monde, on constatait une nette distinction entre ses discours et sa personne.

Les discours, généralement préfabriqués à Rome, étaient rarement écoutés par ces masses qui parfois avaient marché pendant des journées entières pour le rencontrer. Ce qu'elles voulaient plutôt, c'était le toucher, lui prendre les mains, s'approcher le plus possible de sa personne. Elles le voyaient comme un personnage divin qui arrivait jusqu'à elles avec affection, qui les bénissait et se préoccupait de leurs malades. Ce qui les attirait, c'était son charisme personnel, l'espérance que, s'il les touchait, ils seraient plus heureux.

Au moment de se solidariser avec les humiliés, on ne peut oublier que même le plus abandonné, même le dernier moribond des rues de Calcutta, demande encore plus, et avant le morceau de pain, une démonstration d'affection pour ne pas se sentir seul, pour récupérer sa dignité perdue. Et il a besoin de croire dans le mystère, ce qui n'est pas la même chose que de croire dans la superstition. Il y a quelque chose de divin et de mystérieux chez celui qui tend les mains vers le frère humilié pour le libérer de sa peine. Même le plus distrait le ressent et en est heureux. Parfois, le monde a plus faim de dialogue et de fraternité que de nourriture. La minuscule et courageuse mère Teresa de Calcutta l'avait très bien compris. Même si plusieurs la critiquaient justement pour cela, elle a été très aimée, surtout des misérables. Ils savaient qu'elle les aimait.

7

Le Dieu qui libère de la peur

PRIÈRE

À tous les vents, je demande le courage,
à chaque étoile et à chaque route,
à la mer qui ne meurt jamais
je demande le courage
et au soleil et à la lune
et à tout le firmament.
À chaque oiseau, à chaque pierre,
à chaque insecte de la terre et de l'air,
je demande le courage à tout ce qui vit maintenant
et qui continuera à vivre,
le courage de chevaucher les jours,
de naviguer sur les heures,
et, en chaque minute et chaque seconde,
de rêver.

Roseana Murray

«La peur aveugle. Mais nous étions déjà aveugles au moment de perdre la vue, la peur nous a aveuglés, la peur nous maintiendra aveugles», écrit José Saramago dans son grand roman *Essai sur la cécité*.

Il peut sembler paradoxal de parler du Dieu qui libère de la peur alors que nous avons toujours associé l'image de Dieu à quelque chose qui fait peur, capable de punir par un châtiment infini. Et pourtant, s'il est possible d'envisager un Dieu crédible pour les années 2000, ce ne peut être un Dieu semeur de peurs, tout simplement parce que l'homme moderne du XXIe siècle a déjà perdu la peur de Dieu. Il y a bien d'autres choses qui le terrorisent : le péril atomique, les guerres chimiques, la contamination de la terre, le sida, l'incommunicabilité, les nouveaux et subtils esclavages du pouvoir technologique.

Si Dieu veut avoir une place en l'an 2000, ce devra être au contraire un Dieu libérateur des cauchemars, créateur d'espérances nouvelles, capable de dissoudre les angoisses, d'offrir de nouveaux fruits de pitié et de compassion, une nouvelle terre plus digne d'être vécue, plus partagée entre tous, une terre de frères différents, jamais plus ennemis. Le Dieu qui habite non pas une terre contaminée par des poisons matériels et spirituels, mais une terre de cultures qui enrichissent. Une terre dans laquelle le différent est perçu non pas comme un ennemi potentiel, mais comme une richesse ; tel celui qui dépose à votre porte le panier de fruits exotiques que vous ne connaissiez pas, et non comme celui qui vient vider votre garde-manger.

À l'homme qui sort terrorisé du siècle des dictatures et des camps de concentration, le Dieu des années 2000 devra apporter de nouvelles espérances, la confiance en soi et la confiance dans nos frères afin d'ouvrir des parcours de solidarité et non de compétitivité, un peu moins d'enfer intérieur et extérieur et un peu plus de foi dans la vie.

Il devrait également enseigner à l'homme à perdre la peur de se tromper, à essayer de faire les choses sans toujours demeurer prisonnier de la certitude immuable des dogmes. J'ai toujours aimé les vers du poète espagnol Caballero Bonald :

> J'implore la peur,
> la folie, le cœur
> délinquant, pour qu'ils n'entachent pas
> cet illusoire vertige de terre
> pourrie, cette sombre effigie
> du mépris, et qu'ils me permettent
> d'être inattentif aux oracles,
> de cheminer à tâtons jusqu'à
> pouvoir me tromper.

On n'a pas besoin non plus d'un Dieu qu'on doit, seulement et toujours, rencontrer dans les ténèbres, avec des doutes déchirants, dans l'angoisse et la peur. Comme le propose un autre poète, Carlos Bousoño, lorsqu'il chante :

> Je me demande si l'on a besoin du chemin
> poussiéreux du doute tenace,
> de l'abattement soudain
> dans la plaine stérile sous le soleil de justice,
> de la ruine de toute espérance,

du lambeau crasseux de la peur,
du malaise invincible au milieu du sentier
qui conduit au donjon délabré.

La réponse serait non. Appliqué à Dieu, cela signifie que l'homme peut le rencontrer aussi dans les sentiers de la sérénité et pas seulement de la tragédie, de l'espérance et non pas de la peur, de la compassion et non du châtiment. Le rencontrer aussi dans les lacs et les plaines, dans les horizons incandescents des couchers de soleil heureux, et non seulement dans la peur des plus hautes cimes ou dans les obscures profondeurs des cavernes.

Il existe un Dieu de lumière et pas seulement de ténèbres, un Dieu de la joie et pas seulement des pleurs, du bonheur du pain pétri à la main et partagé dans la fête avec l'ami et pas seulement dans la dureté du jeûne et de la pénitence. Aux noces de Cana, quand les époux se retrouvèrent sans vin parce que les invités avaient déjà tout bu, Jésus de Nazareth n'a-t-il pas été celui qui a transformé l'eau en vin excellent, c'est-à-dire la tristesse en joie, pour que la fête ne finisse pas ? Curieusement, c'est lui qui n'a jamais demandé aux disciples de jeûner et de se flageller, mais il les poussait à rompre la sacralité juive du sabbat en leur permettant ce jour-là de recueillir les épis de blé s'ils avaient faim.

Une donnée palpable est que ce sont les riches et les puissants et non les pauvres, qui ont habituellement le plus peur. Peut-être parce qu'ils ont davantage à perdre, ou qu'ils sont victimes de plus grandes ambitions. C'est pourquoi Louis Blanc a écrit que « pour chaque pauvre qui pâlit de faim, il y a un riche qui tremble de peur ». Le pauvre souffre probablement plus que le riche au cours de sa vie, mais pas de peur. C'est le triste privilège de ceux qui sont trop attachés à la vie et aux choses, ce que peut difficilement faire le pauvre qui vit dans une précarité absolue, et privé de tout.

C'est peut-être pour cela que les riches et les puissants ont l'habitude d'être davantage esclaves de la peur et qu'ils perçoivent Dieu comme un puissant. Ils ne peuvent pas le concevoir comme un Dieu qui libère gratuitement de la peur ; au contraire, ils voudraient que la peur qui corrode leur chair de puissants corrompe aussi le tissu moins malheureux du pauvre qui marche libéré des peurs parce qu'il n'a rien à perdre, mais tout à gagner.

C'est la stimulation et le bonheur qui font grandir, non pas la peur

Voilà pourquoi j'ai toujours soutenu que ce sont les humbles, les sans-pouvoir, ceux qui n'ont pas peur de la vie, même s'ils ne possèdent rien ou précisément à cause de cela, qui pourront mieux découvrir le vrai Dieu — où qu'il se trouve — et bien mieux que ceux qui se gâchent le sommeil à l'idée de perdre ce qu'ils ont accumulé.

Les pauvres ironisent, même à propos de leur pauvreté. Un pauvre napolitain me disait : « Si l'argent ne fait pas le bonheur » — ce que disent les riches habituellement — « imagine-toi la misère ». Si les riches ont l'habitude de rire plus que les pauvres, les pauvres, eux, utilisent mieux l'ironie.

Il est difficile de concevoir un Dieu qui libère de la peur, car toutes les religions ont utilisé Dieu comme dispensateur de peurs, comme frein social. La peur des châtiments éternels, de la vengeance du sacré, des sentiments de culpabilité qui tenaillent le cœur, a toujours été présente dans beaucoup de codes religieux. Les puissants de tous les temps et de toutes les cultures ont tiré profit de la situation

pour mettre des brides à bien des libertés légitimes de
l'homme, au nom de la prétendue « crainte de Dieu ». Avec
pour conséquence qu'il est vraiment difficile d'opérer un
changement radical dans une semblable mentalité religieuse
et de restituer à Dieu son vrai sens de libérateur des peurs.
Comme un père qui s'emporterait contre son petit et qui,
pour le faire obéir, pour vaincre son esprit critique, cher-
cherait de mille manières à lui faire peur, depuis la menace
de lui ôter son affection jusqu'à celle du châtiment des
dieux ou des démons.

Comme l'affirment tous les psychologues sérieux de
par le monde, la personnalité humaine croît et se déve-
loppe par la stimulation, l'espérance, le bonheur, le sens
du respect et de la responsabilité envers le prochain ; jamais
par la peur, la coercition gratuite, la violence physique ou
psychique. Comment alors pouvons-nous imaginer que,
dans la propédeutique divine, la peur de la condamnation
figure comme méthode de formation des consciences ? Il
suffit de parcourir quelques-unes des paraboles de l'Évangile pour comprendre que la pédagogie de Jésus est à
l'opposé de la crainte. Rappelons-nous la parabole de l'enfant prodigue. S'il est une figure qui aurait pu se sentir
chargée de peur, c'était certainement ce fils qui avait abandonné la maison paternelle en dissipant tout son héritage.
Eh bien ! Dans la parabole de Jésus, lorsque le fils revient,
le père est plus heureux que jamais au point que le frère
« fidèle », qui avait toujours eu soin de la famille, est rongé
d'envie à cause de la grande fête que le père prépare pour
le retour du frère rebelle.

Dans la pédagogie de Dieu, c'est la compassion, la
miséricorde, l'accueil amical qui dominent toujours ; jamais
le refus, la condamnation, les menaces.

Le Dieu de l'Évangile n'est pas un Dieu sadique, mais

un Dieu de la liberté, de l'amitié, de la compassion et du bonheur. Jésus n'a jamais renoncé au bonheur ; il a même été à l'occasion accusé, en son temps, de ne pas jeûner et de ne pas faire pénitence comme les autres Juifs et d'être toujours entouré de gens peu recommandables.

Il est étonnant de voir que Jésus ne supportait pas la souffrance et la maladie des autres. C'est pourquoi il les guérissait tous. Il n'aimait pas voir souffrir les gens, il était l'ami de la joie. Un tel Dieu pourrait-il être un dispensateur de peurs ? Bien des fois, j'ai pensé que Dieu ne peut pas être plus sévère que nous le sommes nous-mêmes avec notre conscience. Et si nous connaissons très bien nos limites et nos faiblesses qui, comme le disait Paul de Tarse, nous font désirer une chose et agir autrement, il n'est pas possible d'imaginer que Dieu soit plus sévère que nous. C'est le contraire qui est éventuellement vrai : comme cela nous arrive, à nous les adultes, avec l'enfant encore petit qui fait quelque chose que nous n'aimons pas. Si on peut se fâcher dans un premier temps, ensuite nous sourions de compassion, sachant qu'il ne s'agit que d'un enfant sans défense et sans maturité. Et nous, qui d'autres sommes-nous devant Dieu, si ce n'est de grands enfants qui doivent bien le faire rire ?

On me dira que Dieu doit être sévère avec les injustes, avec ceux qui font délibérément du mal à leur prochain, avec les sadiques de garde, avec celui qui vit pour rendre les autres malheureux, avec les maudits artificiers des camps d'extermination. Oui, bien sûr, Dieu et nous-mêmes sommes sévères avec ceux qui oppriment les faibles. Mais c'est le contraire qui se produit habituellement : on demande à Dieu qu'il soit sévère non pas avec les hypocrites et les pharisiens, mais avec la foule des misérables ; qu'il le soit avec les faiblesses et non pas avec la méchanceté ; qu'il répande la peur chez les pauvres pour qu'ils ne se soulèvent pas, et non pas chez les puissants qui les tiennent injustement soumis.

Sur le plan personnel, on demande à Dieu qu'il soit sévère avec les péchés de faiblesse et non pas avec les péchés d'orgueil qui sont sataniques. Comme si on demandait à un père d'être sévère, de punir et de faire peur à l'enfant qui s'est sali les mains et les vêtements avec de la terre, et non pas au fils qui ment ou maltraite son compagnon d'étude.

Pour l'homme moderne, la peur de Dieu ne sert à rien

La sévérité est une chose, la peur en est une autre. La sévérité fait appel à la responsabilité et est libératrice; la peur fait appel au châtiment et intimide. Elle ratatine l'âme au lieu de la dilater.

Les dieux de l'Antiquité étaient tous créateurs de peurs parce qu'ils étaient dominés par le pouvoir tribal dans le but de soumettre les ignorants. Ils se servaient de la peur naturelle qu'avaient les primitifs pour les phénomènes de la nature : les éclairs, le tonnerre, les maladies, la mort servaient à inspirer de la peur aux gens qui, de cette façon-là, devaient recourir aux sacrifices à offrir aux dieux pour se les amadouer. C'était une peur intéressée.

Même à notre époque, les Églises sont d'habitude tentées de se servir de la peur de l'homme face à l'inconnu pour qu'il recoure à la foi. Mais il est vrai aussi que chaque fois l'homme moderne a moins peur dans la mesure où il connaît et domine mieux les phénomènes naturels, même s'il lui reste toujours une certaine crainte. Quand explosa la peur du sida, je me souviens que pour expliquer la chose, un cardinal catholique eut recours à une espèce de nouveau châtiment infligé par Dieu à l'humanité dépravée sexuellement. Heureusement, l'Église en général ne l'a pas suivi et a été plus prudente. Il y a d'ailleurs des religieuses, comme celles de mère Teresa de Calcutta, qui s'occupent de ces malades avec amour.

L'homme est très enclin d'habitude à se créer des sentiments de culpabilité pour bien des choses : sa fragilité innée le porte à ne pas toujours être à la hauteur de ses idéaux. Et lorsqu'il se voit vaincu, incapable d'être comme il le voudrait, il se ronge avec le sentiment de culpabilité. Il y en a aussi qui éprouvent parfois des sentiments de culpabilité pour ce qu'ils n'ont pas fait. Les religions ont bien souvent alimenté ce sentiment de culpabilité afin de dominer les consciences, croyant que le principe de la crainte est salutaire puisqu'il encourage la fidélité.

Encore une fois, un Dieu libérateur ne peut pas être le Dieu des sentiments de culpabilité. Il est bon que l'homme reconnaisse ses limites, ses fautes, qu'il s'excuse auprès du frère qu'il a offensé, mais devant Dieu il doit se sentir comme l'enfant avec sa mère qui, bien qu'elle puisse le réprimander, ne cherchera jamais à lui créer des remords de conscience inutiles. Une mère finit toujours par sauver, pousser à être meilleur, stimuler la vertu. Elle ne sera jamais semeuse de panique. Nous savons tous que la peur inoculée à un enfant est toujours stérile.

Tant que la mort, la souffrance, le mystère, la pauvreté, l'insécurité et la méchanceté des autres existeront, l'homme ne pourra jamais se libérer complètement de ses peurs ancestrales. Il pourra perdre la peur d'un Dieu extérieur, mais il n'arrivera pas à se libérer totalement de ses propres peurs. L'équation n'est pas valide. En effet, il existe d'autres peurs que celles créées par les divinités officielles des Églises. Il y a une peur existentielle qui nous accompagne toujours face à l'inconnu, face au drame qui peut être en embuscade dans quelque coin où nous nous trouvons.

Ce qu'on peut certainement affirmer, c'est que la peur de Dieu servira de moins en moins à cet homme moderne, libéré des peurs antiques, même s'il est enfermé dans de nouvelles peurs ; à tout hasard, il pourrait simplement accepter l'image d'un Dieu qui lui murmure à l'oreille, dans les moments de panique, qu'il existe toujours une main amie, invisible, mais réelle, disposée à prendre la sienne pour l'accompagner dans les passages de la souffrance et de la peur. Un Dieu qui n'enfonce personne dans ses peurs mais est une lumière, à peine perceptible, pour adoucir nos ombres ; une présence chaleureuse que nous ne pouvons pas toucher mais que nous ressentons comme une bénédiction gratuite, ni cherchée ni attendue, mais certainement désirée par notre cœur, pour nous apporter un soulagement dans les moments infernaux.

Un tel Dieu serait-il inutile ?

8

Le Dieu femme et mère

FEMME

Voluptueusement
moitié pomme
moitié serpent
avec tes pas tu inventes le monde.
Parfois tu joues
comme un passereau
ou pèlerine des ombres
tu évoques de tes yeux
des cordillères abyssales
et c'est dans tes entrailles
que se forme la nuit.
En toi
la pelote de la vie.

Roseana Murray

Pendant des siècles, on a considéré comme normal que Dieu fût masculin. Dans les trois grandes religions mono-théistes, il était inconcevable d'imaginer un Dieu féminin. Dieu est père. Et l'Église catholique a toujours précisé que le culte à la Vierge Marie était un culte mineur parce que la Vierge n'est pas Dieu.

Aujourd'hui, les choses commencent à changer. Pour la première fois, même dans les théologies les plus sérieuses, on commence à présenter l'hypothèse que Dieu puisse être aussi femme et mère ; que dans la divinité, il n'existe pas de distinctions nettes entre homme et femme, entre mas-culin et féminin, car Dieu ne peut manquer d'aucun des éléments qui composent la nature humaine, s'il est vrai que Dieu s'est fait homme.

Dans le soin que nous avons mis à nous construire un Dieu masculin, nous avons oublié que la première divinité dont se souvienne l'humanité était Gaïa, une divinité fémi-nine qui assurait la fécondité de la terre. Ce sont les Grecs qui, plus tard, ont conféré aux dieux antérieurs le genre neutre et ensuite masculin, en les identifiant au dieu de la guerre. William Blake l'a très bien expliqué lorsqu'il écri-vait : « Les Grecs aimaient trop la guerre. Par leur faute, l'amour devint masculin et la femme, une statue de pierre ; et à partir de là le bonheur disparut. » La féminité de-meura définitivement séparée de la divinité et les hommes se sont emparés de l'histoire.

Et l'histoire a été écrite par des hommes. Aujourd'hui, bien des chercheurs se demandent ce qu'aurait été l'histoire de l'humanité si Dieu avait continué à être femme, et si le pouvoir, au moins le pouvoir officiel, n'avait pas été détenu presque exclusivement par des hommes. Il y en aura qui affirmeront que le monde aurait été pire, parce qu'ils continuent à considérer l'homme comme plus intelligent que la femme ! Mais ce dont personne ne pourra douter, c'est que l'histoire n'aurait pas été la même et n'aurait pas été racontée de la manière dont les hommes l'ont écrite.

Ce n'aurait pas été la même histoire et il n'y aurait pas eu les mêmes Églises qui, en acceptant que Dieu soit seulement homme, ont conditionné à cette conviction toute la théologie, la morale, l'interprétation des Écritures. Tout. Et non seulement on a dépouillé la féminité de toute sa caractéristique divine, mais on a fini par considérer la femme comme inférieure et, pis encore, comme la cause du péché, l'éternelle tentatrice.

La domination masculine a toujours interprété en sa faveur les différences indéniables existant entre l'homme et la femme. Et ainsi, l'homme était celui qui fécondait ; il était l'élément actif qui, ensuite, par la force, imposait les lois à la partie féminine, considérée comme passive, réceptive de la force vitale de l'homme. Le schéma était clair : masculin équivaut à actif, objectif, rationnel, audacieux, entreprenant, sûr ; et féminin équivaut à passif, subjectif, irrationnel, sentimental, faible, insécurisé, émotif. Et personne n'a dit, par exemple, que la femme contrôle mieux les sentiments et la pensée abstraite que l'homme, qu'elle possède une plus grande rapidité perceptive, qu'il existe quatre fois plus de dyslexiques et de bègues masculins que parmi les femmes. Mais les préjugés ont la vie dure.

On explique ainsi les résistances séculaires de toutes les Églises à permettre aux femmes d'assumer un rôle de pouvoir à l'intérieur des structures ecclésiastiques. On en est même arrivé au paradoxe que l'Église catholique qui, en principe, condamne toutes les inégalités entre les hommes, soit dans le monde démocratique l'unique institution qui maintient une discrimination incroyable envers la femme en l'empêchant d'accéder au sacerdoce ministériel. Et cela même contre une partie considérable et importante de l'épiscopat mondial. Dans le domaine des religions, le judaïsme et le bouddhisme eux non plus n'admettent pas les femmes dans leur hiérarchie.

Mais la société civile change. Les lois des États démocratiques ouvrent à la femme les portes de toutes les professions, sans aucune exclusion, et on condamne toute forme de discrimination pour des raisons de sexe. Même si on continue à commettre divers abus, ils se produisent de moins en moins : jusqu'à tout récemment, il semblait normal que la femme gagne moins à travail égal que l'homme et que pour des postes importants on préfère les hommes aux femmes.

Il n'y a que les Églises qui ne changent pas et qui continuent à maintenir une telle discrimination par rapport au sacerdoce. Avec une contradiction de plus pour l'Église catholique, dans la mesure où elle a toujours affirmé que l'ordination sacerdotale ne constitue pas un privilège de pouvoir, mais une fonction de service à la communauté. Et pourtant, curieusement, elle affirme que la tâche de la femme dans l'Église est une tâche de service. Pourquoi, alors, la femme ne peut-elle pas accéder à ce service sacerdotal ? Parce que l'Église, au fond, continue à considérer le sacerdoce comme un pouvoir. C'est pourquoi elle doit continuer à l'interdire à la femme qui, dans l'Église, doit seulement servir et non pas commander.

Il y a eu des moments où l'Église était à l'avant-garde par rapport à la société. Il y a eu des siècles d'obscurantisme au cours desquels les Églises ont sauvé la culture et ont été un ferment de libertés nouvelles. À d'autres époques, au contraire, les Églises ont été source de régression et elles appuyèrent les mouvements moins libérateurs et plus conservateurs. Aujourd'hui, on peut dire que les Églises sont divisées. Même au sein d'une même confession religieuse, se côtoient des éléments de libération et des éléments rétrogrades.

On doit en dire autant quant au rôle que la femme doit exercer dans la société au sein de la communauté religieuse. S'il y a une Église qui continue à fermer les portes à une plus grande présence féminine, il y a aussi une autre partie de l'Église, surtout dans le tiers-monde — tant au sein de la hiérarchie que dans les communautés de base — qui est en train de prendre conscience que la femme doit entrer de plein droit dans l'Église, sans discrimination aucune.

La femme est moins en crise que l'homme

C'est une donnée de fait que la société, surtout en Occident, prend chaque jour plus conscience qu'au cours du prochain millénaire le rôle de la femme s'exercera fondamentalement à l'intérieur de toutes les institutions. On le détecte par le fait que l'homme entre dans le nouveau siècle avec une plus grande crise d'identité que la femme qui, elle, a déjà réalisé sa première révolution. Imparfaite, payée chèrement, car dans le mouvement féministe tout n'a pas été rose et n'a pas été un succès, même si on a travaillé fort. De toute façon, la femme a pris conscience de ce qu'elle veut, et elle lutte pour l'obtenir. À partir de certaines conquêtes, on ne retourne plus en arrière : la femme sait que le chemin de sa libération est déjà commencé.

L'homme, au contraire, est sur la défensive. Il est en train de perdre ses anciennes certitudes. La croissance de la femme l'a ébranlé. Sa virilité traditionnelle vacille. Il sait qu'il ne peut pas continuer à exercer le machisme d'autrefois, mais il ne voit pas clairement sa nouvelle identité. Il ne sait pas comment être père ; il ne sait pas comment exercer sa sexualité face à une femme qui s'est émancipée. Il ne sait pas s'il doit devenir plus féminin ou s'il doit continuer à résister, à exercer un type de virilité qui est en train de s'affaiblir et qui a mené aux États-Unis à la création de plus de deux cents clubs nostalgiques pour la défense de la virilité.

Il n'y a pas de doute que bien des hommes ont compris que les choses sont en train de changer et qu'eux aussi doivent changer, car le train de la libération de la femme fera bien difficilement marche arrière. Certains sont en train de se mettre à jour et voient même d'un bon œil cette résurgence des valeurs féminines. Ils découvrent que l'homme avait mortifié en lui-même sa partie féminine, en l'empêchant d'exercer globalement sa personnalité. Ceux qui sont convaincus que l'histoire s'améliore avec une participation plus active et plus paritaire de la femme sont aussi ceux qui apprécient et aiment l'évolution de la femme. Ce sont ceux également qui pensent qu'il y aura plus de paix, de justice, et moins d'agressivité dans le monde quand la femme pourra être elle-même, non pas sur la défensive, mais en mesure d'exprimer toute la force de sa créativité.

Ce type d'homme nouveau qui, dans la recherche d'un monde créé ensemble, chemine main dans la main avec la femme en tant que son égale, sans abus de pouvoir, est l'homme qui échappe à une telle crise de génération. C'est l'homme qui aime tout ce que la femme a de meilleur, de plus caractéristique, et qui rêve que le monde soit également gouverné par le féminin et pas seulement par le masculin. Nous en trouvons un exemple dans ce que le journaliste Xavier Vidal-Folch a écrit sur le mot *femme* :

> La femme est la forme humaine de la splendeur et de la vie. C'est l'héroïque, le quotidien. C'est ce qui se dit des entrailles de la lumière sur la planète terre. Dans la construction, elle est la pierre et l'argile, le sable et la chaux, le mortier et l'échelle. La tuile. Dans la mer, elle est la proue. Elle est la grenade et l'olive. La vague et la tempête, la brise. Amazone, cariatide, tisserande, guérillera, complice. La mère des Macchabés, Antigone, Thérèse d'Avila, Emma Bovary. Quand elles dirigent les armées, les mères ne semblent plus orphelines, quand elles président l'Agora, tous les enfants atteignent la vieillesse.

Il n'y a pas de doute que cette image de la femme presque sublimée ne pourra devenir réalité que lorsque nous aurons perdu tout scrupule à croire que Dieu est aussi femme et mère, que la divinité n'est pas uniquement associée au masculin. Quand les déesses pourront réapparaître sans rougir sur cette planète trop masculine ou masculinisante.

Il est curieux que ce soit un pape catholique, Jean-Paul Ier, dont le pontificat fut très court, qui ait lancé dans une audience générale, devant des milliers de pèlerins, une provocation théologique qu'aucun pape n'avait jamais osé lancer avant lui : l'affirmation que Dieu, en plus d'être père, est aussi mère, c'est-à-dire féminin. La chose fut tellement grave pour l'orthodoxie catholique que le préfet de la Congrégation pour la doctrine de la foi, le cardinal Joseph Ratzinger, intervint pour déclarer que personne, pas même le pape, n'est autorisé «à changer le sexe de Dieu». Et il y en a qui ironisent en disant que Dieu n'a été femme que pendant trente jours, c'est-à-dire uniquement durant le temps qu'a duré le pontificat de Jean-Paul Iᵉʳ, décédé pour des causes non encore totalement clarifiées.

Toutefois, ce pape qui avait été patriarche de Venise et qui jouissait d'une grande popularité, n'avait rien fait d'autre que de verbaliser quelque chose qui se trouvait déjà en germe dans la nouvelle théologie catholique progressiste : le modèle masculin de Dieu-père, et donc autoritaire et patriarcal, prenait l'eau. On ne peut réduire la relation entre l'homme et Dieu au vieux schéma des relations entre père et fils. On doit aussi considérer Dieu comme mère, femme, épouse et amante, qui sont toutes des composantes de l'élément féminin de l'humanité. Mais cela change bien des choses. Par exemple, par rapport à la sévérité. La Bible, justement, tout en ayant des teintes fortement viriles, nous dit par la bouche d'un de ses prophètes que les entrailles de Dieu sont si miséricordieuses qu'elles dépassent celles d'une mère. Le prophète se demande : «Une mère pourrait-elle abandonner le fruit de ses entrailles ? », et il répond : «Quand bien même elle le ferait, moi, Dieu, je ne le ferai pas.» Cela revient à dire que Dieu est encore plus maternel et compréhensif, qu'il a une compassion et une tendresse plus grandes envers ses fils que la meilleure des mères. Pourquoi, alors, cette peur de la part de l'Église de considérer Dieu en dehors des schémas de la masculinité, associée seulement au principe d'autorité ?

Pourquoi n'utilisons-nous que des métaphores masculines à propos de Dieu ?

La théologienne Sallie McFague clarifie très bien la question. Elle affirme qu'en se référant à Dieu par la relation père-fils comme modèle unique pour parler du rapport entre Dieu et l'être humain, le modèle du père se transforme en quelque chose d'idolâtrique, car il finit par être conçu comme une description de Dieu. Par conséquent, le meilleur moyen d'inclure les références maternelles et féminines dans notre rapport avec Dieu, c'est de s'appuyer sur quelque chose qu'on avait passé sous silence mais que la tradition théologique n'avait jamais nié, c'est-à-dire que « Dieu est à la fois semblable et différent de ce qu'indiquent nos métaphores ». Et il existe de bonnes raisons d'utiliser à propos de Dieu des métaphores tant masculines que féminines. En attendant, si l'homme est à l'image de Dieu et l'être humain à la fois masculin et féminin, Dieu ne peut pas être seulement masculin. Pourquoi, alors, a-t-on passé sous silence un tel aspect maternel-féminin de Dieu ? C'est très simple, affirme la théologienne, parce que « la pensée et la théologie occidentales ont été simultanément et profondément accablées par la peur et la fascination de la sexualité féminine ». Et elle ajoute : « La raison fondamentale du trouble produit par les métaphores féminines de Dieu réside dans le fait, semble-t-il, qu'à la différence des métaphores masculines dont le caractère sexuel demeure caché, les métaphores féminines apparaissent clairement sexuelles et concernent la sexualité qu'on craint le plus : la sexualité féminine. »

À mon avis, il y a quelque chose de plus. Les stéréotypes présentent toujours Dieu comme pouvoir, alors que la société a associé la femme et le féminin au non-pouvoir. Si

Dieu est mère, on pense tout de suite à un possible Dieu sans épine dorsale, seulement compatissant, passif, c'est-à-dire doté de ces caractéristiques que l'homme a attribuées à la femme en tant qu'« être inférieur ». C'est pourquoi, pour comprendre la nouvelle métaphore de Dieu comme mère, il faut que la nouvelle théologie revalorise les caractéristiques féminines non seulement comme passives mais encore comme actives. Parce que, si on a socialement attribué à l'homme la condition d'autorité comme élément actif, et celle du guerrier comme défenseur de la vie, on ne peut pas oublier que la caractéristique de la femme est celle de « donner la vie ». Et quel aspect peut être plus positif, actif et créateur que celui de concevoir et de mettre au jour une nouvelle vie ?

Curieusement, un approfondissement de la théologie maternelle et féminine de Dieu pourrait offrir des fruits importants à l'histoire de la libération de la femme, en aidant à découvrir que féminin n'est pas synonyme de passivité, comme masculin n'est pas synonyme d'activité. Dans les deux réalités, masculine et féminine, il existe en effet des éléments actifs et passifs qui sont complémentaires entre eux et non pas antithétiques. Un Dieu uniquement masculin serait un Dieu « à moitié », incomplet, bon seulement pour le pouvoir, mais loin, par exemple, de la compassion qui n'est pas non plus une vertu féminine, mais quelque chose d'essentiel à l'être humain qui a toujours besoin d'être accepté et compris, et pas seulement jugé et châtié.

Que la tendresse et le soin maternel des hommes soit une qualité divine est une acquisition qui fait difficilement son chemin, mais sans retour possible. Y sont plus sensibles les théologies des pays du tiers-monde, ces derniers étant fatigués d'une théologie machiste du pouvoir, toujours disposée à condamner et à juger les hommes et à attribuer au péché toutes les disgrâces de la vie, si injustes soient-elles.

Un paladin de cette nouvelle théologie, le Brésilien Leonardo Boff, parle du Dieu de la compassion et pas seulement du Dieu de la vengeance. À une mère des bidonvilles de Rio, désespérée par la mort de son jeune fils tombé dans les pires bassesses de la vie, et qu'elle avait enseveli avec tout l'orgueil et la compassion d'une mère qui aime son fils par-delà toutes ses faiblesses, Boff murmure au moment suprême de la souffrance devant son fils décédé — dont la mère « replace dans le cercueil le collet déboutonné de la chemise » — que Dieu est aussi « le Dieu de ceux qui meurent avant le temps et de ceux qui ne sont pas parvenus à croire parce que, parfois, la vie a été trop dure pour eux, et indigne de ce même Dieu ». Glosant sur la condition de Dieu, incarnée dans cette mère qui ne rougit pas de son fils et qui continue à l'aimer au-delà de la mort, Boff écrit :

> La sollicitude maternelle accompagne la vie des fils et des filles jusqu'à la mort et au-delà de la mort. La tendresse rachète la vie cachée dans la mort. Si les hommes, les femmes et Dieu ne se préoccupaient pas du monde et n'avaient aucune tendresse essentielle envers les créatures, existerions-nous encore ? Y aurait-il un sens à vivre et à durer dans le temps ?

Il ne sera plus possible de concevoir Dieu sans la dimension féminine

À coup sûr, pour les années 2000 qui s'annoncent comme le siècle et le millénaire de la femme, de son entrée complète dans l'histoire, il n'est plus possible de concevoir Dieu comme un créateur et un justicier, sans la dimension perdue de féminité, de maternité, de compassion pour tout le créé. Un Dieu capable d'exprimer toutes les richesses qui prennent place dans le cœur des êtres humains, tant masculins que féminins.

Désormais, un Dieu uniquement masculin ne suffit plus. Nous voulons découvrir le visage féminin de Dieu ; nous voulons que l'Église ne rougisse pas d'appeler Dieu mère et amante et qu'elle accepte la réalité, jamais niée théoriquement, que Dieu n'est pas quelque chose de neutre, en dehors de la réalité humaine : car, autrement, il n'aurait rien à voir avec nous, et nous ne pourrions plus le connaître, ni même l'imaginer. Si Dieu doit ressembler de quelque façon à sa création, s'il doit avoir laissé sa trace de créateur dans la création, il n'y a pas de doute qu'il doive posséder le meilleur de la condition non seulement masculine mais aussi féminine.

Il doit être tout : force et tendresse, créativité et compassion, principe d'autorité et angoisse de rédemption, bonheur dans toutes ses dimensions : spirituelle et corporelle. Dieu ne s'est pas incarné asexué sur cette terre, et le sexe n'est pas synonyme du Malin, comme la femme n'est pas non plus l'ennemi de l'homme et sa tentation. Elle est, comme Dieu, sa compagne de route, son complément, sa meilleure révélation du divin, ce qui lui manque et le complète.

Étant donné que ce que nous avons connu jusqu'à maintenant comme histoire a été fait, ou à tout le moins raconté, par l'élément masculin, ce n'est qu'en découvrant le visage féminin de la divinité que l'histoire pourra se compléter. La réalité importante, transcendantale, eschatologique, celle qui compte, ce sont les hommes qui l'ont faite. On a laissé aux femmes le travail caché, anonyme, immensément fécond, mais auquel on n'a accordé aucune valeur ajoutée. C'est pourquoi les femmes comptent si peu dans l'histoire universelle écrite par les hommes, histoire qui est fondamentalement celle des guerres et des conquêtes, et très peu l'histoire de la véritable humanité, celle de l'amour créateur, des relations humaines, des grandes souffrances et des grandes joies.

C'est pourquoi Dieu n'a pas intéressé tout le monde. Et il n'a pu être le Dieu de tous s'il n'a été présenté qu'avec un visage masculin. Et chacun de nous, sans avoir besoin de théologies excessives, sait très bien que ce Dieu caché que nous portons en nous, qui est notre partie la plus intime, est un Dieu plus complexe et plus riche que celui que les professionnels des religions ont l'habitude de nous présenter, un Dieu qui est tout en même temps : père et mère, homme et femme, des fois sévère et d'autres fois immensément compatissant ; c'est le meilleur visage de nos désirs les plus nobles et les plus sincères. Et ces désirs et aspirations pour quelque chose de meilleur que nos misères ne sont jamais totalement masculins ni totalement féminins, tant pour l'homme que pour la femme. Le visage de Dieu, c'est le visage de l'Humanité, de sa globalité, du meilleur de la création, où existent les deux sexes et toutes les réalités qui dorment dans le cœur aux facettes multiples des humains.

9

Le Dieu de tous
parce que Dieu de personne

ROUTES

Qui pourrait emprisonner le vent
ou le silence qui dort
dans l'âme de la pierre ?
Qui pourrait emprisonner
la lente lumière
qui se pose sur le lac
ou le soir qui cache et révèle
le secret de montagnes antiques ?
Qui pourrait emprisonner
la saveur fugace
d'un fruit
ou l'élan plein de mystère
du mot liberté ?
Elles n'ont pas de patron les routes
qui mènent à l'infini :
depuis le feu azur de la mer
jusqu'à la dernière étoile,
l'homme est à peine cheminant.
En chacun le souffle divin.

Roseana Murray

Il peut sembler banal de dire que Dieu est le Dieu de tous. Mais ce ne l'est pas, parce que depuis toujours les dieux ont été le patrimoine exclusif de quelques-uns, de ceux qui manifestaient leur pouvoir.

Toutes les religions s'arrogent le droit de se forger leur dieu, meilleur que celui des autres. Celui-ci ne peut pas être le Dieu de tous, car, dans un tel cas, il ne servirait pas à protéger le pouvoir qui ne doit être l'apanage que de quelques-uns.

Dire que Dieu est le Dieu de tous parce qu'il n'est la propriété de personne est plus révolutionnaire que cela peut sembler à première vue, comme nous y avons déjà fait allusion dans un autre passage de ce livre. C'est faire sortir Dieu des palais pour le rendre aux gens, pour le faire descendre dans la rue, de sorte que tous puissent s'approcher de lui, lui parler, lui poser des questions, l'aimer ou le haïr à leur façon (et non pas selon les canons imposés par les diverses religions).

Jusqu'à maintenant, les dieux, comme les puissants de la terre, ont toujours eu des intermédiaires. Depuis les sorciers primitifs jusqu'aux ambassadeurs et interprètes modernes, jusqu'aux chefs de cabinet et aux fonctionnaires qui accordent des audiences selon leurs propres critères. On fait cela aussi pour les papes. Encore plus avec Dieu. Je me souviens qu'une fois une famille italienne m'écrivit. Elle comprenait douze enfants. En célébrant un anniversaire, ils voulaient se réunir tous ensemble, et étant catholiques, ils rêvaient d'avoir une brève rencontre avec le pape pour que celui-ci les bénisse.

Ils recoururent à moi en sachant que j'étais journaliste et que je voyageais à ce moment-là avec le pape autour du monde comme envoyé d'un quotidien espagnol. Ils pensaient que je pouvais lui demander cette faveur. Ça semblait facile, mais ce ne l'était pas. Parce que je tombai sur toute une série de bureaucraties. J'ai dû passer par les intrigues de palais. Fournir des requêtes écrites, des informations et d'autres dossiers à des personnes de la Curie que je ne connaissais pas. Des mois passèrent, et un jour, on me donna la réponse. On me fit savoir, avec grande diplomatie, qu'il est d'usage que celui qui désire une audience privée avec le pape « doit faire une offrande ». Je pensais à quelque chose de symbolique. Non, il s'agissait de quelque chose de substantiel. Pour m'orienter, je demandai qu'on me donne quelques exemples. Et on me répondit entre les dents, avec beaucoup de suavité, que le minimum était un chèque de dix mille dollars ou un calice en or massif.

Cette humble famille n'aurait pu se permettre un tel présent, et je n'osais pas lui dire non plus. J'aurais offensé leur foi toute simple. Nous convînmes que le pape serait mis au courant de l'affaire ; finalement, il les reçut sans cadeau.

Toutes les Églises ont eu peur devant le fait qu'un être humain puisse communiquer directement avec Dieu par l'intermédiaire de sa propre conscience. C'est pourquoi on a craint les mystiques de toute époque qui ont affirmé communiquer directement avec le Dieu qui se rend présent au plus intime de l'homme. Dieu n'a jamais été le Dieu de tous parce qu'il a toujours été la propriété de quelqu'un.

Et même quand on a proclamé parfois que personne n'a le droit de s'emparer de Dieu, en pratique, des documents de propriété ont toujours fini par faire leur apparition.

Jusqu'à maintenant, on a toujours admis que Dieu est davantage le Dieu des croyants que des agnostiques, et certainement davantage des puissants que des derniers. Les grandes funérailles, avec les représentants de Dieu au plus haut niveau, n'ont jamais été pour les gens humbles qui n'ont jamais mis en scène quelque drame particulier, mais pour les gens importants de la société, pour ceux qui comptent le plus devant le monde.

La Réforme protestante a causé un drame à l'intérieur de l'Église catholique dans la mesure où les disciples de Luther défendaient le droit de chaque chrétien d'interpréter personnellement les paroles de la Bible, sans aucun besoin de notaires du règne qui leur disent le sens de chaque mot. C'était une tentative de rapprocher la parole de Dieu de tous, sans la laisser à personne en exclusivité.

À l'intérieur de l'Église catholique, quand le concile Vatican II décida que la liturgie ecclésiastique pourrait être célébrée dans les langues vernaculaires, et pas seulement en latin, il y eut une levée de boucliers de la part de ceux qui pensaient que de cette façon on enlevait à quelques-uns le privilège de comprendre ce qui se disait pendant la messe, c'est-à-dire à ceux qui savaient le latin, à savoir les gens cultivés et principalement le clergé. L'eucharistie étant célébrée dans les différentes langues parlées, tous, même les analphabètes, pouvaient comprendre ce qu'on disait. On perdait le mystère, clamèrent certains. Ce qu'on perdait en réalité, c'était le monopole d'un petit nombre sur la Parole de Dieu.

Dans le tiers-monde, Dieu est plus proche

Celui qui est familier avec les fameuses communautés de base de l'Église ibéro-américaine ou africaine aurait pu constater jusqu'à quel point Dieu a rejoint les gens dans ces communautés : ils le sentent plus proche, parce qu'ils ressentent mieux que nous qu'il est le Dieu de tous. Il y a moins de médiation ecclésiastique. Les évêques et les prêtres délèguent davantage aux gens.

Au Brésil, dans une agglomération rurale, j'ai pu observer comment une femme de la campagne, bonne et simple, qui vivait dans une pauvreté digne, conservait dans sa chaumière une custode avec l'eucharistie. Elle me raconta que l'évêque l'avait autorisée à la conserver pour la distribuer en cas de nécessité aux malades ou aux moribonds quand il n'était pas possible de rejoindre un prêtre. Et là, tout était normal et transparent comme les ruisseaux de la montagne. Dieu était plus proche, plus humain, à la portée de tous. Il ne faisait pas peur ni ne créait de problèmes canoniques.

Dans ces régions, la pauvreté réelle — qui selon les calculs officiels tenaillera au cours du prochain siècle six personnes sur dix dans le tiers-monde (selon les prévisions de la Banque mondiale, il y aura à cette date 1 300 millions de personne dont le revenu n'atteindra pas un dollar) — a aussi rendu Dieu moins riche, moins paré de bijoux, moins habillé d'or et de soie pour être plus accessible. La foi de ces chrétiens n'est pas plus faible ou moins consciente pour autant. Au contraire. J'ai assisté à une discussion sur une page d'Évangile entre un groupe de femmes et d'hommes de la campagne d'une zone rurale de l'Amérique latine, qui aurait certainement impressionné bien des savants occidentaux par la profondeur de ses idées. Les vieilles paroles de la Bible acquéraient pour eux une actualité coléreuse, car ils savaient les appliquer à leur vie concrète, aux problèmes de leur communauté, à leur milieu, à la défense des terres que le pouvoir cherchait à leur enlever par la force.

Lorsque les paysans ou les Indiens revendiquaient certains concepts classiques de l'écologie moderne — la défense des arbres, des forêts, des rivières — on sentait en eux une force de conviction et une passion presque sacrée que nous avons perdues. Pour eux, c'était une question de vie. Et quand ils revendiquent la remise en vigueur du pacte d'alliance entre l'homme et la nature créée par Dieu, ils font de la théologie comme l'affirme très bien Leonardo Boff, le champion de la nouvelle théologie écologique.

Si Dieu appartient à tous et non à quelques-uns, à plus forte raison les choses créées par lui doivent-elles être au service de tous selon les besoins de chacun, et non selon les mécanismes égoïstes du capitalisme moderne. À partir d'une vérité si simple et évidente, à savoir que Dieu n'est la propriété de personne, on déduit dans l'Église de base du tiers-monde des conséquences révolutionnaires que même les évêques les plus conservateurs doivent admettre.

Alors que le Vatican cherche, en Amérique latine, à mettre des évêques conservateurs à la tête des diocèses importants, ces mêmes évêques, m'a-t-on raconté — aussitôt qu'ils arrivent dans leur diocèse et qu'ils se rendent compte de la situation de pauvreté et d'exploitation dans laquelle vivent leurs chrétiens, et la forte conscience qu'ils ont que cela est contre Dieu qui a proclamé que nous sommes tous ses enfants et que personne de ce fait n'a le droit d'abuser des autres au nom d'aucune théologie —, finissent par passer dans l'autre camp. Même si, parfois, il peuvent continuer à être conservateurs en matière dogmatique, ils deviennent immédiatement progressistes dans les revendications sociales et dans l'idée qu'il n'est pas possible, au nom de Dieu, d'admettre certaines inégalités meurtrières.

Il n'y a rien de mieux dans l'Église, pour guérir les puissants de leurs vieux préjugés, que de les rapprocher des gens, des plus humbles, car d'habitude ils possèdent cette sagesse dont l'Évangile affirme qu'elle finit par confondre les sages de ce monde. C'est la sagesse qui s'acquiert quand on n'a rien à perdre, ni aucun privilège à défendre. Les yeux deviennent plus limpides pour cueillir la vérité. Comme disait le prophète de Nazareth, ce sont ceux qui ont le cœur pur et ne sont pas aveuglés par les richesses excessives qui sont capables de voir plus clairement le visage toujours obscur de Dieu. Ils intuitionnent que, si Dieu existe, il ne peut pas être couvert de cet or tant convoité par les nantis de la terre, mais plutôt maculé de cette boue de laquelle nous naissons tous et à laquelle nous retournerons. Ce Dieu ne fait pas de distinctions dans son amour des êtres humains, dont il a voulu personnellement partager les misères et les joies, et dans laquelle celui qui se sent le plus grand doit servir le plus petit.

Un évêque de ce tiers-monde pauvre me disait qu'au contact de ses chrétiens humbles mais lucides il avait commencé à lire l'Évangile d'une façon différente. Comme si, tout d'un coup, un bandeau lui était tombé des yeux et qu'il avait tout vu de manière plus nette, à commencer par la raison pour laquelle Dieu est vraiment le Dieu de tous sans distinction, personne ne pouvant se sentir plus proche de lui qu'un autre.

C'est de cette façon que l'on s'explique comment dans le tiers-monde est née la théologie de la Libération, doctrine qui a tellement fait peur et pourtant qui n'est rien d'autre que la tentative de faire comprendre aux gens que si Dieu a un sens, c'est qu'il veut libérer l'homme de toutes ses chaînes. Toutes : celles du péché, comme l'affirme la théologie plus traditionnelle du Vatican, mais aussi celles de ses misères corporelles et des disparités inadmissibles qui crient vengeance au ciel. Et qu'il ne peut pas y avoir de christianisme crédible s'il ne prêche pas que Dieu veut que tous, et pas seulement quelques-uns, soient heureux, et par conséquent que tous puissent manger chaque jour, éduquer dignement ses enfants, accéder au banquet de la terre dont la table doit être parée pour tous, sans qu'il y ait des enfants surnourris et d'autres qui meurent de faim.

C'est pourquoi, interpellé une fois sur les attaques faites à la théologie de la Libération, dans l'avion au cours d'un de ses voyages en Afrique, le pape Wojtyla osa affirmer : « Le pape lui aussi est un théologien de la Libération. » Cela aurait pu sembler de l'ironie étant donné que le Vatican a toujours durement attaqué les théologiens de la Libération. Mais l'Église pourrait-elle nier, en théorie, un principe chrétien aussi fondamental que celui d'un Dieu qui est plus proche de ceux qui souffrent que de ceux qui ont tout en surabondance ? Même si de telles affirmations finissent ensuite par être démenties par les faits dans la mesure où l'Église officielle a l'habitude d'être plus proche des riches et des puissants que des pauvres et des méprisés de la terre.

Il est indiscutable que, si un Dieu existe, il doit se préoccuper davantage de ceux qui ont moins que de ceux qui possèdent davantage, comme une mère qui ferait plus de sacrifices et serait plus proche de l'enfant malade que de celui qui est en bonne santé, de celui qui souffre de certaines carences que de celui qui a moins besoin de ses soins. Sans oublier, pour ce qui est du Dieu chrétien, qu'il suffit de lire l'Évangile sans exégèses excessives pour comprendre, comme le comprennent les chrétiens plus libres du tiers-monde, que Jésus, le fondateur de l'Église — s'il est vrai qu'à un moment donné il a voulu fonder une Église semblable à l'Église actuelle —, a toujours manifesté, en public comme en privé, sa prédilection évidente et son amour pour toute la caravane des misérables de son temps, des pauvres aux infirmes physiques, aux malades et aux méprisés de la synagogue, qui étaient les non-croyants d'alors. Jésus a toujours été un anti-pouvoir par le simple fait que le pouvoir cherche toujours à s'emparer de Dieu pour soumettre les consciences et bénir les injustices de toutes sortes en son nom.

Le Dieu fermé à clef

Que Dieu soit le patrimoine de quelques-uns, et qu'il faille même le protéger par des clefs pour qu'on ne puisse pas le dérober à ceux qui le possèdent, on le comprit très bien dans la merveilleuse île éloignée de Samoa, dans la partie indépendante gouvernée par un roi local, où rien de moins qu'un pape, Paul VI, atterrit au cours des années 1960. De Pango Pango à cette autre partie de l'île, avec un groupe de journalistes choisis au hasard parmi ceux qui l'accompagnaient en avion dans son voyage asiatique, le pape vola sur un avion minuscule piloté par un jeune commandant américain à tête blonde, à nul autre pareil.

L'avion atterrit sur un terrain ouvert où on avait coupé des palmiers pour allonger la piste. Le roi l'attendait, un bâton à la main en guise de sceptre, les membres du parlement vêtus d'une jupe faite d'écorces d'arbre et la poitrine dénudée, avec les habitants d'une agglomération de huttes de paille ouvertes, personne n'ayant jamais connu à cet endroit ce que signifiait dérober. Ou, mieux, ils ne l'avaient appris que le jour où quelques missionnaires européens étaient arrivés pour leur apporter la foi, et avaient construit le premier édifice de pierre et de chaux avec des portes à serrures. La clef servait à enfermer Dieu dans le tabernacle afin que personne ne puisse voler les hosties consacrées. Et aussi afin de fermer la porte de l'église pour que personne ne puisse s'emparer des objets sacrés. C'est ce qu'on expliqua aux indigènes qui demandaient pourquoi on fermait les portes. Ils n'avaient jamais vu une clef de leur vie. Ils dirent qu'en cet endroit personne ne prenait ce qui appartenait aux autres. Il n'existait même pas de monnaie et ils échangeaient entre eux les produits de la terre, de la pêche ou de la chasse.

Curieusement, ils apprirent ce qu'était le vol, ce que signifiait la défense de la propriété privée lorsqu'on leur annonça la foi. C'est ce que nous racontait le seul autochtone qui bredouillait un peu d'italien et qui avait été invité par l'évêque à étudier pendant un an à l'Université de Pérouse, en Italie.

Il nous raconta aussi que lorsqu'on informa Paul VI de cette histoire, il refusa de célébrer la messe à l'intérieur de l'église. Il la célébra sur une esplanade devant l'église avec les gens assis par terre. Il y eut aussi un moment délicieux pendant la célébration de la messe en cet endroit ultra-exotique, un village d'indigènes dans lequel était arrivé le sérieux pape Montini sur une espèce de charrette toute parée de magnifiques orchidées qui poussent là dans tous les sentiers.

Au moment de l'offertoire, on entendit venir de la forêt un groupe d'homme à moitié nus qui portaient quelque chose sur leurs épaules. On pensa à un objet artisanal quelconque qu'on offrait au pape pendant l'offertoire de la messe, comme cela se produisait habituellement en d'autres endroits. Non, c'était quelque chose de plus substantiel. Tout de suite, on en fut averti de loin par l'odeur. C'était un gigantesque cochon grillé aux herbes aromatiques qui fut déposé sur le sol à deux pas de l'autel au milieu des gens qui assistaient à la cérémonie. Paul VI, qui avait déjà levé la main pour bénir les offrandes qui l'entouraient, en voyant le grouin de l'énorme animal grillé demeura à moitié figé dans sa bénédiction.

Plus tard, on me raconta que certains chrétiens nouvellement baptisés avaient découvert ce que signifiait voler en voyant qu'on enfermait l'eucharistie à clef à l'intérieur de l'église pour que personne ne s'en empare, et que cette histoire avait beaucoup impressionné l'intellectuel pape Montini, le pape du doute, et qu'il l'avait racontée à ses collaborateurs les plus intimes.

Ce qui se produit, c'est que l'on tient pour acquis le fait que Dieu est la propriété de ses médiateurs, les Églises, qui le gardent comme un patrimoine appartenant seulement à quelques privilégiés. Dieu n'a jamais été le Dieu de tous. Les Églises n'ont jamais accepté de bon gré la vérité fondamentale que n'importe quel Dieu, s'il est tel, doit être comme la lumière, une nourriture et un réconfort pour tous les êtres créés, sans distinction. Et pas seulement pour les hommes, mais pour tous, y compris les animaux et les choses.

Il sera fondamental pour la foi du XXIe siècle de récupérer l'idée d'un Dieu universel. Un humoriste espagnol me dit un jour qu'il était en train d'écrire un livre qui s'intitulerait : *Dieu ne se réunit pas*. C'était la parodie d'un homme important de notre époque qu'il est difficile de rencontrer parce que, chaque fois qu'on sollicite une rencontre, on prévient que cela n'est pas possible, « car il est en réunion ». C'est ce qu'on a voulu faire avec Dieu. Quand les hommes ont besoin de lui, il est difficile de le rencontrer, car les Églises et leurs médiateurs l'ont également séquestré ; il est toujours occupé, il ne peut jamais répondre au téléphone. Mon ami humoriste plaisantait sur l'idée que Dieu devrait être un téléphone jamais occupé, toujours libre, parce que Dieu doit être disponible vingt-quatre heures par jour, pour tous et pour chacun en même temps.

Pouvoir habiter avec tous les dieux

Il est évident que tant que chaque organisation religieuse revendiquera son propre Dieu et tant qu'il sera défendu aux disciples d'un Dieu de pouvoir converser avec les autres dieux, on pourra difficilement comprendre l'idée que Dieu est comme l'air qu'on respire, comme l'oxygène qu'absorbent les plantes. Il n'y a pas de privilégiés qui peuvent respirer d'une manière différente des autres, même si, dans un monde contaminé par le manque de respect pour la nature, on commence déjà à avoir des privilégiés qui peuvent respirer un oxygène plus pur que les autres. Le tiers-monde, qui est le poumon de l'humanité, est en train de devenir — paradoxe épouvantable — celui qui respire le moins bien parce que le premier-monde est en train d'y déverser tous ses déchets les plus contaminés.

Il y en a qui se demandent pourquoi une religion comme le bouddhisme — qui, plus qu'une religion, est une philosophie — est en train de susciter tellement d'intérêt et tant de disciples même en Occident, malgré qu'il soit le produit spirituel d'une culture très particulière, si éloignée de la nôtre. Je crois que l'un des motifs, outre le fait que c'est une religion sans dogmes et sans châtiments éternels, est qu'un bouddhiste peut, en même temps, être un dévot de n'importe quelle autre religion de la Terre. Son Dieu n'est pas un Dieu comme le nôtre. C'est plutôt une illumination intérieure qui purifie des scories pour que l'on puisse trouver la meilleure essence de soi-même, de son intériorité, compatible avec tous les autres.

Je me souviens que lorsque Paul VI aussi bien que Jean-Paul II se rendirent en Inde et en Indonésie, terres fondamentalement bouddhistes ou hindoues, où les chrétiens constituent à peine deux pour cent de la population, des millions de personnes allèrent à leur rencontre. Elles n'étaient pas chrétiennes, et pourtant elles recevaient ces papes avec respect, en les considérant comme des maîtres de spiritualité d'une religion différente de la leur, mais également respectable et digne, justement à partir du principe que la divinité, la spiritualité, l'illumination intérieure, le monde du mystère constituent le patrimoine de tous que l'on peut retrouver à n'importe quel carrefour de la vie. N'importe quelle personne, importante ou simple, pourvu qu'elle parle sincèrement du Dieu qu'elle aime, peut les révéler.

10

Le Dieu des gens différents

DIFFÉRENT

Marcher sur le pont enveloppé
de nuages et de mystère :
sur la rive opposée
mon semblable
si pareil et si différent.
Dans ses yeux, il y a un bateau
à l'ancre qui attend,
de mon souffle je fais le vent.
Il y a toujours une rencontre possible
un silence de fruits et de fleurs
à cueillir.
Tout homme est une énigme.

Roseana Murray

Il y en a qui affirment que même le nazisme avait son Dieu au nom duquel il a commis tant d'atrocités. Mais s'il l'avait, ce devait être le Dieu du pouvoir qui se sent autorisé à tout soumettre à son caprice, à mépriser l'homme quand il se considère comme différent. Chaque dictature a eu ses dieux et ses prophètes, fabriqués à l'image et à la ressemblance des dominateurs de service, c'est-à-dire de ceux qui se sentent en droit de décider du sort des autres pour atteindre leurs objectifs.

Quand le pouvoir s'empare des dieux, ce ne peut être que des tyrans, modelés à l'image et à la ressemblance de ceux qui continuent à croire qu'il y a des hommes dotés de pouvoirs absolus sur les autres, et que les gens différents sont condamnés à être de la chair à canon. Il est certain que c'est au nom de Dieu qu'on a parfois commis les plus grands crimes de l'histoire. Commis et justifiés.

Voilà pourquoi il n'existe pas d'acte plus révolutionnaire que celui d'arracher Dieu à la séquestration du pouvoir, pour qu'il redevienne le patrimoine de tous, comme le soleil et l'air, et, éventuellement, un peu plus le Dieu des gens différents, des marginalisés, car ce sont eux qui ont le plus besoin de l'attention d'un Dieu compatissant. Comme le soleil réchauffe avec plus de force celui qui tremble de froid, tout en ne retranchant rien à ceux qui ne sont pas frileux et qui en ont moins besoin.

Il faut libérer Dieu pour en faire le patrimoine de tous.

Non pas pour que chacun se crée un Dieu à son image et ressemblance, à son caprice, mais pour que personne ne soit contraint de subir un Dieu qui vient du dehors, et que nous puissions découvrir ce que nous portons tous de divin en nous, au plus profond de toute conscience humaine.

Personne, pas même les Églises, ne peut prétendre posséder l'image totale de Dieu. C'est seulement à partir de la somme de toutes les images infinies reflétées dans le cœur de chaque homme que l'on peut s'approcher d'une image plus certaine de Dieu. On trouverait réunies dans cet immense kaléidoscope les idées que se font de Dieu les théologiens de service et les Indiens de l'Amazonie, l'écrivain intellectuel et l'analphabète qui ne sait parler qu'avec les plantes et les rivières, l'adulte désenchanté de la vie et l'enfant ou le jeune qui sont encore en train de s'ouvrir aux joies et aux craintes du mystère de la vie.

Le nazisme n'a eu aucune autre religion que celle du surhomme, et il n'a pu concevoir d'autre dieu que celui des dominateurs. Les gens différents n'avaient aucun droit à un Dieu; c'est pourquoi ils pouvaient être humiliés jusqu'aux limites de l'enfer. C'est exactement le contraire du Dieu auquel peut rêver toute personne libre, impossible à concevoir si ce n'est comme patrimoine de tous sans exception. D'où la nécessité du respect pour toute personne humaine, quelque différente qu'elle soit par rapport à nous. Dieu est le seul en qui il n'y a pas de place pour la discrimination entre les personnes. C'est seulement devant Dieu que devront disparaître toutes les différences, les classes, les races. Dieu est l'idée ultime et la plus ancestrale de la liberté et de l'égalité de tous les êtres humains.

Curieusement, alors que les dieux du pouvoir ont toujours fini par mépriser ce qui est différent, dans la mentalité d'un Dieu, le différent devrait être, le cas échéant, le miroir dans lequel se reflète le mieux son image la plus authentique. Parce que l'essence ultime de Dieu n'est pas l'ordre ou l'homologation, l'uniformité et le clonique. Dieu ne peut être au-delà de l'expression maximale de la pluralité, de la diversité, de la complexité, capable qu'il est d'embrasser toutes les diversités, tous les contraires, tout ce que l'ordre méprise ; en définitive, tout ce qui est original, créateur, neuf, qui naît à tout moment, qui fermente incessamment, qui est toujours le même et pourtant toujours différent, parce que la vie n'est pas statique, mais dynamique. Un Dieu qui serait l'exclusivité de ceux qui se ressemblent, des cloniques, de ceux qui ont été pétris par le pouvoir et par la peur, serait un Dieu insignifiant et ennuyeux. Le divin doit être l'explosion de toutes les forces vitales, où tout se fait et où même le plus différent a sa place en copropriété.

D'ailleurs, qu'est-ce qui est vraiment différent dans une communauté humaine ? Nous sommes en présence d'un sujet scabreux qui, même avec la meilleure volonté, a conduit certains pédagogues à alimenter les différences. On dit que le différent, le distinct, doit être aidé, accepté, intégré. Mais « différent » de qui ? Des normaux ? Mais existe-t-il vraiment une catégorie de gens normaux, semblables, et une autre de gens différents ?

C'est un leurre qui mène finalement à la discrimination, et conduit à considérer le différent comme étant inférieur, en dehors de la communauté des élus normaux. Ne serait-il pas plus juste de dire que nous sommes tous différents ? Si nous considérons comme différent un enfant qui possède une autre culture que la culture dominante, c'est parce que nous pensons que c'est notre culture qui est la bonne et non la sienne. S'il est différent pour nous, il peut, lui, pour la même raison, nous considérer comme différents. En disant que nous devons respecter et accepter ce qui est différent, nous sommes en train d'admettre déjà que nous sommes le modèle légitime, et que lui est le modèle avarié, et qu'on doit chercher à en finir avec sa diversité. Mais pourquoi pas avec la nôtre ?

La vérité, c'est que la distinction entre différences ou sous-valeurs n'est rien d'autre qu'un prétexte pour soutenir que la culture dominante est la meilleure et que la santé est un concept absolu. Nous considérons qu'un enfant est infirme parce qu'il doit se promener en fauteuil roulant, quand son cerveau est peut-être bien plus vif que celui de l'enfant « normal » qui court sur ses jambes. Les qualités physiques sont-elles les seules qualités différentielles ? Ne sont-ce pas également les qualités sensibles et rationnelles ?

Seuls les pauvres sont différents

En fin de compte, le fait est que nous considérons comme différents les communautés et les individus qui se distinguent par leur pauvreté ou le manque d'intégration dans la communauté dominante. Une communauté de Japonais riches en Occident ne sera jamais considérée comme différente, bien qu'elle le soit vraiment, alors que nous considérerons sans doute comme différente une communauté de Marocains pauvres et immigrants. Le racisme n'a pas l'habitude de molester le Noir élégamment vêtu qui est employé à la direction d'une grande entreprise, mais bien le Noir sans emploi que l'on considère sans doute comme plus capable de voler que celui qui est cadre ; alors que c'est peut-être le contraire, car le premier aura probablement plus de possibilités de frauder sur une plus grande échelle.

Comme l'a affirmé l'anthropologue catalan Manuel Delgado Ruiz — qui a montré de manière incisive l'ambiguïté de notre défense des gens différents —, il faut en finir avec l'idée qu'il puisse exister quelqu'un de plus différent que l'autre.

Il faut proclamer une fois pour toutes, affirme-t-il, qu'il n'y a pas de différences dans les villes, les écoles, ni en quelque autre endroit. Tout le monde fait partie d'une minorité culturelle : tout le monde est différent. C'est pourquoi dire de quelqu'un qu'il est différent par rapport à un autre qui ne l'est pas, c'est du racisme. Ce qui nous rend semblables, ce qui nous permet de masquer cette consigne anti-raciste si habile de « semblables et différents », c'est de montrer que nous sommes tous égaux parce que nous sommes tous différents. Ce qui manque, c'est de se demander si les régimes démocratiques et les écoles qu'ils ont créées sont capables de mettre en pratique les principes par lesquels ils ont été fondés à un moment donné.

L'anthropologue ajoute que ce qu'on doit expliquer dans cet imbroglio de la diversité et de ses présumées problématiques, c'est qu'il n'y a pas différenciation du fait que les différences existent : au contraire, il y a des différences parce qu'il y a différenciation. Les individus ne sont pas ce qu'ils sont parce qu'ils sont différents ; ils sont différents parce qu'ils ont été condamnés à être différents. Voilà pourquoi tout discours qui prétend que la différence est un bien absolu, qu'elle a une certaine valeur par elle-même, est raciste, qu'on le veuille ou non. Selon ce chercheur, « la différence se combat par l'indifférence », parce que ceux que nous considérons comme différents pour pouvoir nous considérer nous-mêmes normaux, ne sont justement là que parce qu'on leur nie systématiquement le droit que tout citoyen devrait avoir, et qui n'est pas seulement le droit aux lois, mais aussi le droit à l'anonymat.

Au contraire, quand on libère de l'anonymat le différent, et qu'on le place sur un piédestal pour proclamer sa diversité, même si c'est pour la défendre, on ne fait que souligner sa propre normalité face à l'anomalie de l'autre — même si on la respecte. La respecter, c'est déjà l'accepter, et donc faire preuve de discrimination. Et, finalement, marginaliser la personne.

Il s'agit d'un leurre dans lequel sont tombés non seulement les pédagogues bien intentionnés, mais aussi des hommes religieux anxieux de défendre les gens différents au nom de Dieu, mais après les avoir marginalisés et condamnés en tant qu'Église. Parce que, même si la religion devait être le meilleur antidote contre ces formes plus larvées de racisme, en fait, elle n'a pas toujours aidé à en finir avec pareille hypocrisie. Les Églises aussi se sentent dotées du pouvoir de discriminer au nom de Dieu, entre bons et méchants, entre fidèles et infidèles, quoiqu'elles montrent par la suite de la compassion et de la miséricorde envers le différent. Et pas toujours.

Si, en cette fin de siècle, la société civile commence à prendre conscience que tout l'échafaudage de la défense des gens différents n'est qu'un truc pour sentir que nous sommes les privilégiés-normaux, les Églises aussi devront faire leur examen de conscience. Au cours du nouveau siècle, on pourra difficilement accepter un Dieu qui condamne les gens différents — étant donné que ce Dieu a déjà été oublié et condamné — et non plus un Dieu qui, même par bonté et miséricorde, accepte les gens différents comme tels.

Dans une lettre adressée à Salman Rushdie, l'écrivain portugais non croyant José Saramago affirme, entre autres choses : « J'ai pensé que, contrairement aux moines qui se retirent du monde pour être plus proches de Dieu, vous vous êtes vu obligé de laisser le monde pour fuir Dieu. Les hommes vous ont précisément condamné au nom de Dieu. » Saramago ajoute ironiquement que, vu que le temps a passé sans que Dieu ait montré qu'il était d'accord avec la sentence, il commence à douter que Dieu ait quelque chose à voir avec l'affaire. Et il ajoute : « En premier lieu, un Dieu qui accepterait de laisser dans les mains du désir capricieux des hommes l'application de sentences qu'il n'a pas proférées, sous prétexte qu'elles ont été prononcées pour sa défense, serait un Dieu plus qu'irresponsable, absurde, alors que Dieu ne peut être, par définition, que la plus logique des créatures. »

Oui, Dieu devrait être celui qui, à plus forte raison, démasque l'équivoque de l'existence des gens différents. Non pas pour demander qu'on les comprenne comme le fait parfois actuellement l'Église, mais pour proclamer bien haut que nous sommes tous égaux devant lui parce que nous sommes tous différents, puisqu'il nous a créés égaux et différents, et que les maudites différenciations ne sont que le produit de l'égoïsme humain, pour affirmer la souveraineté de certains sur d'autres. Parfois, ce sera une minorité contre une majorité, parfois, ce sera le cas contraire. Mais le résultat est toujours le même : la prévarication des uns sur les autres.

Pour prendre un seul exemple, l'Église catholique commence à manifester une certaine compassion et à tendre la main vers les chrétiens divorcés qui, après avoir contracté une nouvelle union, veulent rester dans l'Église. Cela peut sembler un geste magnanime, et même progressiste, de l'Église envers ces gens différents, mais, dans la ligne de ce que nous venons de dire, une telle opération aux teintes libéralisantes continue à être finalement une discrimination : comme si tous les gens mariés qui n'ont jamais divorcé étaient les préférés, et les divorcés, les enfants de deuxième classe. Sans comprendre que devant Dieu personne ne peut juger l'intérieur d'une conscience.

Il peut y avoir des personnes mariées qui portent dans leur cœur un enfer d'infidélités, mais sont normaux, non différents aux yeux de l'Église parce qu'ils se situent parmi les légitimes ; et, inversement, il peut y avoir des divorcés honorables qui ont eu le courage de résoudre, dans le respect et la bonne paix de l'union, une situation devenue dramatique. Qui serait le plus « différent » dans la logique traditionnelle ? Tous les êtres humains ont leurs problèmes, leurs succès et leurs difficultés : tous, chacun à sa façon, et probablement sans qu'il y ait deux situations semblables. Et ce ne peut pas être une minorité, si privilégiée et élue qu'elle se sente, qui doit décider qui est plus beau ou plus laid que les autres.

Un Dieu qui sait aussi douter

C'est seulement lorsqu'elle proclamera qu'il n'existe personne de différent pour son Dieu parce que tous sont pareils, et qu'il n'y en a pas qui sont plus semblables que les autres parce que nous sommes tous différents, que l'Église pourra être écoutée au cours du nouveau millénaire. Si les racismes et les xénophobies ne disparaissent pas, et peuvent même s'accentuer, on commencera pourtant à prendre conscience que c'est là le plus grave des péchés, celui qui a créé les camps de concentration, aspergé notre planète de sang et d'exterminations, et fomenté les haines et les guerres.

Voilà pourquoi, dans l'histoire du nouveau siècle, il ne devra plus y avoir de divinités discriminantes, incapables de proclamer l'égalité sacrée des gens différents, la singularité divine de chaque personne et peut-être de toute chose et de tout être vivant. Un Dieu capable de dissiper les peurs et de racheter tous les marginalisés du monde, non par compassion, mais parce qu'ils ont les mêmes droits que ceux qui ont été proclamés normaux.

Pendant sa vie mortelle, Jésus de Nazareth n'a jamais fait de distinction entre normaux et anormaux. Par des gestes parfois provocateurs, il a dans certains cas exalté ceux que la société de son époque et les convenances sociales considéraient et traitaient comme des gens différents. Dans la maison de ses amis Lazare, Marie et Marthe, quand cette dernière se plaint que sa sœur Marie au lieu de l'aider dans la cuisine reste en contemplation aux pieds du maître — autrement dit, elle la critique d'être différente en ne faisant pas ce que doit faire une hôtesse avec son invité, selon les normes d'une bonne éducation — Jésus prend la défense de la différence de Marie « différente », et dénonce plutôt le dynamisme excessif de Marthe, préoccupée seulement de bien paraître. Pourquoi Marie n'aurait-elle pas pu faire ce que lui dictait son cœur, au risque de sembler mal élevée ?

Et quand les prêtres et les pharisiens — les normaux, les légalistes — accusent un groupe de ses apôtres d'être différents parce qu'ils ne respectent pas le sabbat, c'est-à-dire la normalité de la loi, Jésus les défend en disant que le sabbat, la loi, doit être au service de l'homme, et non pas l'inverse, c'est-à-dire l'homme esclave de la loi. En d'autres mots, l'homme a droit, s'il le croit en conscience, d'être différent par rapport à la norme. De cette manière, Jésus s'en prend à l'avance à la grande doctrine selon laquelle ceux qui détiennent le pouvoir, en se sentant normaux, doivent nécessairement stigmatiser tous ceux qui n'agissent pas comme eux.

Parfois, on dit que l'Église doit se mettre du côté des pauvres et des marginaux, comme le soutient la théologie de la Libération. L'intention, bonne en soi, pourrait être équivoque. En soulignant qu'on se range du côté des marginaux, on finit par justifier la discrimination créée par les puissants de service. Au fond, on pourrait faire une concession aux puissants, en maintenant la différence entre les uns et les autres, ce qui est justement ce que cherche le pouvoir et ce à quoi il aspire. L'Église peut et doit sans hésitation défendre les plus oubliés, car ce sont eux les victimes du pouvoir. Mais elle doit le faire en affichant clairement que, pour elle, il n'existe aucune personne différente.

Chose difficile pour n'importe quelle religion, car elle finit toujours par considérer ceux qui croient comme des privilégiés et ceux qui ne croient pas comme des gens différents. Une faute à laquelle n'échappe certainement pas l'Église catholique quand elle affirme qu'il n'y a pas de salut en dehors d'elle, comme n'y échappe pas le judaïsme quand il défend l'existence d'un peuple élu qui est le vrai peuple de Dieu (étant sous-entendu que les autres sont différents et distants du Très-Haut).

Comme presque tous les massacres de l'histoire, les crimes et les guerres du siècle qui s'achève s'expliquent par la peur de ce qui est différent, par la conviction que le différent est pire, dangereux, et donc doit être éliminé pour ne pas créer de dommage.

Tant que l'homme s'efforcera continuellement de diviser l'humanité et les peuples en normaux et différents, Dieu sera toujours un Dieu brisé, et de nouveaux camps de concentration et de nouveaux hôpitaux psychiatriques surgiront à nouveau de la terre, comme d'abominables cathédrales de Caïn qui nient la vérité fondamentale de la création. Personne, pour quelque motif que ce soit, ne doit abuser des autres, car seule la solidarité humaine pourra racheter l'image du Dieu qui a fait bonnes toutes les choses créées et qui a modelé l'homme pour qu'il vive comme un Dieu sur la terre en cultivant le bonheur, et non les haines et les tourments.

On affirme aujourd'hui que les idéologies sont désormais disparues, que dorénavant il n'existe plus de différence entre la gauche et la droite. Et c'est vrai. Les mots ont fini par se prostituer à un point tel qu'il n'existe plus rien de clair. Toutefois, certains points de référence assez évidents subsistent. Il existe une partie de l'humanité qui s'entête à perpétuer les différences entre les hommes, parce que, à son avis, certains sont plus capables que d'autres d'accumuler les richesses, et qu'il faut respecter cette différence. À ses yeux, il est juste et justifié de défendre ce que l'ordre établi empêche par les lois et par les armes. D'un autre côté, il existe une autre partie de l'humanité qui préfère penser que chacun a le droit d'être pareil et différent, en respectant aussi le droit de l'autre à être différent de lui. Cela ne sacralise pas l'ordre, même si on le respecte, car les lois servent à la défense des droits de tous et non pas à la préséance de certains sur d'autres.

Il y a une nette distinction entre le démocratique authentique et le dictateur larvé. Le premier porte clairement dans ses chromosomes que la vérité absolue n'existe pas, que tout le monde et l'histoire sont un gros point d'interrogation, que la vérité n'existe pas, mais seulement des fragments de lumière ici et là que l'on doit savoir trouver, que la vie se construit en se trompant, en trébuchant, en essayant, en désobéissant plus qu'en adorant l'autorité.

Au contraire, l'apprenti-dictateur — qui a l'habitude d'être très dévoué à tous les dieux de l'ordre constitué —

pense qu'il existe une vérité qui peut et doit être acceptée par tous sous peine de condamnation ; que l'admiration, l'impératif sont plus importants que l'interrogation et le doute, et qu'il n'y a pas de choses plus importantes dans la vie que d'obéir à celui qui commande, sans lui demander d'explications, avec la conviction que celui qui domine ne se trompe pas. Même dans le pire des cas, personne ne doit demander d'explications à celui qui préside au destin des autres.

Ce sont ces derniers, appelés par vocation à uniformiser les hommes, qui les ont mis en rang et leur ont enseigné ce qu'il doivent croire ou haïr. Une multitude de fois, ils se sont emparés de Dieu, en le faisant à leur image de dominateurs et de discriminateurs. Un Dieu pour ceux qui commandent, et donc un Dieu à qui on doit obéir sans discuter.

C'est exactement, à mon avis, l'opposé du Dieu auquel rêve l'homme des années 2000, qui devrait être le Dieu ouvert à tout : un Dieu qui, même s'il ne justifie pas tout, comprend toutes les situations, y compris les plus diverses et les plus conflictuelles par rapport au pouvoir. Un Dieu capable de poser des questions et qui, comme les hommes, n'a pas de réponses toutes faites pour tout, et qui protège ses doutes. Un Dieu qui doute serait-il hérétique ? Qu'on le demande à Jésus quand, sur la croix, à l'heure suprême du sacrifice de sa vie, il a rencontré son Père en lui demandant pourquoi il l'avait abandonné. Et les chrétiens ne disent-ils pas que Jésus était le Fils de Dieu ?

11

Le Dieu de l'humour

SOURIRE

La première lueur du matin
qui réinvente le monde
et la goutte de temps en équilibre
sur la surface de l'aube
qui s'enfuit
sont peut-être le sourire de Dieu.
L'arc-en-ciel
sur la terre lavée
et le premier vol d'un oiseau,
le premier fruit cueilli
sont peut-être le sourire de Dieu.
La stupeur
de chaque découverte
et les gestes les plus simples,
le pain partagé,
la souffrance échangée,
la main sur le visage de l'autre
sont peut-être le sourire invisible de Dieu.

Roseana Murray

Eugène Ionesco a écrit: « Là où il n'y a pas d'humour, il n'y a pas d'humanité, là où il n'y a pas d'humour, il existe des camps de concentration. » Il nous en coûte, nous les mortels, de concéder à Dieu le sens de l'humour. Nous avons peur de penser que Dieu puisse rire, et aussi sourire, qu'il puisse user d'ironie et de plaisanterie. Nous lui dénions son humanité. Nous devrions nous demander pourquoi il en est ainsi, étant donné qu'une chose est sûre: comment Dieu serait-il dépourvu d'une des caractéristiques tant prisées par les humains? Et par les femmes encore plus que les hommes peut-être. Je me souviens d'avoir lu dans certaines enquêtes sur les jeunes filles que ce qui leur plairait le plus au moment de rencontrer l'homme de leur vie, c'est qu'il ait le sens de l'humour. Et alors, pourquoi Dieu doit-il être ennuyeux, toujours sérieux, incapable de plaisanter?

Il est pourtant clair, comme ironise le dessinateur humoristique espagnol Máximo, qu'il est difficile de concevoir que soit doté d'humour un Dieu capable de créer l'enfer pour châtier les péchés des hommes par une peine sans retour, éternelle. Et il ajoute que Dieu a créé le sens de l'humour, mais en en laissant l'exclusivité à l'homme. En se demandant ensuite pourquoi, Máximo répond: « Ici, oui, je soupçonne l'existence d'un subtil sens de l'humour divin: Dieu accorde à l'homme ce sens de l'humour pour que, dans l'univers, il y ait plus de mystère que ce qu'on

écrit, et pour que la critique théologique soit possible. »
Dans un de ses dessins humoristiques, Dieu fait le commentaire suivant : « L'homme est orgueilleux au point de
croire que c'est lui qui m'a créé. »

Ce qui est sûr, c'est que si les Églises — et très longtemps avant elles, les religions des époques lointaines du
paganisme — ont inculqué aux hommes l'idée d'un Dieu
vengeur, punisseur, plus juste que miséricordieux, on peut
bien difficilement penser à un Dieu de l'humour. Il n'entre
ni humour ni rire dans la cruauté. Le rire suppose l'autocritique, la rupture de valeurs immuables. Il n'y a que la
souffrance et la mort dont on ne peut pas rire, mais de
tout le reste, oui. Ainsi, la meilleure façon de démystifier
un puissant, c'est de le traiter avec humour. Peu de choses
causent autant l'hilarité que de voir un puissant glisser en
public et tomber par terre. On le doit au fait que notre
fragilité se sent compensée quand elle constate que ceux
qui se croient puissants peuvent aussi, comme nous, avoir
des pieds d'argile.

Toutefois, si le puissant qui fait une glissade est une de
nos idoles, cela nous fait moins plaisir de le voir en difficulté. Nous nous sentons projetés dans ses valeurs et nous
ne voulons pas les perdre. Au fond, il ne nous plaît pas de
voir la faiblesse de ce que nous aimons.

Serait-ce là une des raisons pour lesquelles les croyants
n'aiment pas qu'on fasse de l'humour sur leur Dieu ? Cela
ne plaît ni aux croyants ni aux Églises qui se sentent les
propriétaires de Dieu. Il suffit de rappeler ce qui est arrivé
à Salman Rushdie avec le fondamentalisme islamique qui
ne lui a pas encore pardonné l'humour de ses *Versets
sataniques*.

Si l'humour est thérapeutique, rien ne peut empêcher
que, dans son rapport avec l'homme, Dieu fasse usage de

l'humour. Si nous, les hommes, sommes parfois capables de rire même de notre ombre, il n'y a rien d'étrange à ce que nous puissions, sans sentiment de culpabilité, rire de Dieu ou penser que Dieu puisse sourire avec nous. En fait, l'humour est la première chose que les dictatures essaient de bâillonner ; et c'est la plante qui fleurit le plus dans les moments d'absence de liberté, puisqu'elle constitue le meilleur antidote contre l'amertume de la tyrannie. Je me souviens que dans les moments les plus durs du franquisme, les plaisanteries sur le dictateur espagnol se répandaient comme poudre à canon. Nées dans un coin éloigné de province, elles se retrouvaient immédiatement dans la capitale d'une manière presque miraculeuse, par le bouche à oreille.

Ce qui nous fait sourire est le meilleur remède contre n'importe quel mal qui nous afflige. Voilà pourquoi les enfants aiment tant les clowns du cirque qui les libèrent du poids des nombreuses angoisses qui les habitent et que, nous, nous ne connaissons pas, de beaucoup de peurs qu'ils ne savent pas exprimer mais qui oppriment leur âme. Le comique les libère de leurs angoisses et répand en eux un peu de sérénité.

Bien des fois, j'ai pensé que ce Dieu qui prend certainement place dans le cœur de tout être humain comme le meilleur de nos anxiétés et de nos plus profonds désirs de bonheur, doit posséder un grand sens de l'humour. Souvent, il doit rire de nos affaires, tout comme nous rions de ce qui arrive à nos enfants ou à notre chien. Parfois, bien sûr, il arrive que nous nous fâchions, comme Dieu s'irritera de nos entêtements et de notre égoïsme ; mais la plupart du temps il doit beaucoup se divertir en observant notre cœur, nos stratégies pour échapper à la souffrance, notre incapacité à découvrir les merveilles des choses plantées sous nos pieds et que nous piétinons sans les admirer. Il doit aussi prendre plaisir à observer nos craintes et nos peurs face au bonheur et à l'amour, deux réalités devant lesquelles l'homme est un petit apprenti qui sait à peine comment se mouvoir, la souffrance et le désespoir lui étant plus consubstantiels que le bonheur.

S'il y a quelque chose qu'il nous est difficile de nier à Dieu, c'est son intelligence. Mais, comme l'affirme Giorgio De Chirico : « La capacité intellectuelle d'un homme se mesure à partir de la dose d'humour qu'il est en mesure d'utiliser. » Dieu pourrait-il être stupide ? Adgar Neville en arrive à dire que « l'humour est le langage que les personnes intelligentes utilisent pour s'entendre avec leurs semblables ». C'est peut-être pour cela qu'il nous est difficile de nous entendre avec Dieu, parce que nous lui nions cette capacité délicieusement intellectuelle du langage humoristique. Ce qui fait que nous savons peu l'utiliser pour lui parler. Seuls les grands saints, comme Thérèse d'Avila, ont été capables de plaisanter à propos de Dieu. Elle disait avec humour que, pour comprendre les choses de Dieu, elle préférait un directeur spirituel intelligent, même s'il était moins saint, qu'un directeur très saint, mais stupide.

Pourquoi le Dieu de la Bible ne rit-il jamais ?

Dans la Bible, Dieu ne rit jamais. Le verbe « rire » n'apparaît que dix fois dans ses milliers de pages, et de façon très marginale. Sara, par exemple, sachant qu'elle était stérile, rit devant la promesse de Dieu qu'elle aurait un fils. À partir de cette absence de rire dans les Saintes Écritures, certains saints, tels saint Bernard, ont conclu que le rire sur la bouche d'un moine est un sacrilège. Son argument était que, si Dieu n'a jamais ri, l'homme religieux ne peut pas rire.

L'un des motifs pour lesquels il nous en coûte d'attribuer à Dieu le sens de l'humour, c'est que le rire et l'humour sont associés au plaisir ; or l'homme a peur de jouir, comme si le bonheur finissait par lui apporter une double ration de souffrance.

Le siècle qui s'achève a vu bien des comiques, mais peu de motifs d'humour, car il est bien difficile de rire devant ceux qui ont été capables de construire les camps de concentration et de lancer la bombe atomique sur une population innocente et désarmée. Voilà pourquoi l'homme entre dans le nouveau siècle avec l'envie de se libérer de ses peurs, de rire de sa faiblesse elle-même, en étant aussi disposé à jouir si la joie croise son chemin.

À la fin de ce siècle, on commence à découvrir la thérapie du rire. On a même organisé un congrès mondial pour étudier la capacité curative de l'humour qui libère les tensions et redonne l'envie de vivre.

Les enfants n'ont pas peur de rire et ils adorent les clowns. Ils possèdent la capacité de se surprendre et de savoir lire le côté humoristique de la vie que les adultes finissent habituellement par perdre. Les enfants ont bien des occasions et une grande capacité de nous faire rire.

C'est pourquoi je pense que le Dieu de l'an 2000 devra être un Dieu qui récupère l'humour dans un monde où on a perdu le goût de rire et où le bonheur ne sera pas un tabou ni ne se verra hypothéqué par notre incapacité à observer l'ironie cachée des choses, lesquelles, étant fragiles, ne peuvent être prises trop au sérieux.

En vérité, le rire apparaît quand nous démystifions le pouvoir, quand nous nous libérons de nos peurs ancestrales. Le christianisme, curieusement, a présenté un Dieu qui se rend fragile : contrairement aux dieux puissants de l'Olympe, il naît d'une femme, vit sa vie terrestre comme les autres mortels, connaît la souffrance et l'abandon, la trahison et la mort injuste. C'est un Dieu faible qui doute, se trompe, s'irrite et est capable de tendresse infinie. Et qui, à la fin, se sent abandonné de Dieu. Avec un tel Dieu, les hommes devraient pouvoir plaisanter, rire, avec le sens de l'ironie ; il ne devrait pas répandre la peur comme le faisaient les divinités anciennes, toujours assoiffées de sacrifices pour apaiser leur colère. Dans les Évangiles, Jésus demande que nous agissions tous comme des enfants, parce que ce sont eux qui ne rougissent pas de rire et de se divertir avec rien.

Toutefois, les chrétiens ont toujours manifesté très peu le sens de l'humour. Ce n'est qu'au Moyen Âge, spécialement dans les Églises de l'Europe du Nord, que les prêtres, au cours de la semaine sainte, se permettaient des plaisanteries, parfois même à saveur pornographique, pendant la célébration de la messe de Pâques, comme pour manifester que la merveille de la résurrection est une indication que la vie est plus forte que la mort et qu'on mérite la liberté d'une diversion, d'un moment de détente même en face de la plus grande sacralité. Mais un tel humour cessa rapidement aussi. Toutes les religions officielles ont l'habitude d'être tristes.

Les religions de même que leurs chefs, les papes eux-mêmes et les évêques, ont toujours été peu enclins au sens de l'humour. Mais il y a eu des exceptions. Par exemple, Jean XXIII aimait plaisanter. Au cours d'une des premières audiences, quelques religieuses très jeunes s'agenouillent devant lui, extasiées, et lui disent : « Très Saint Père, nous sommes les sœurs de saint Joseph. » Et le pape de répondre avec humour : « Eh bien, vous êtes merveilleusement conservées. » Après seulement quelques jours comme pape, il se rendit seul visiter quelques maçons qui faisaient des travaux à l'intérieur du Vatican. En s'approchant d'eux petit à petit pendant qu'ils travaillaient, il se cacha derrière une colonne et poussa un cri comme pour leur faire peur. Comme le font les enfants. Il y eut évidemment une risée générale et libératrice qui ne fit pas disparaître le sentiment de respect pour le pape, mais la crainte de sa toute-puissance.

Une autre fois, pendant le concile Vatican II, un des cardinaux qui avait beaucoup d'influence et de poids, le cardinal belge Suenens, reçut à la résidence où il logeait une grande enveloppe portant le sceau papal et sur laquelle était écrit : « urgent ». Il l'ouvrit et se trouva devant une photo prise le montrant endormi pendant une session conciliaire. Jean XXIII la lui avait envoyée portant les mots : *Hoc non placet* (Cela ne me plaît pas) : c'était une plaisanterie faisant référence au fait que les pères conciliaires votaient les résolutions avec les mots latins *placet* ou *non placet* (Je suis d'accord [Cela me plaît] ou Je ne suis pas d'accord [Cela ne me plaît pas]) ! Le cardinal raconta l'anecdote pendant une conférence de presse, soulignant la grandeur d'un pape qui avait encore le temps de se distraire et de plaisanter dans un moment si sérieux où lui incombait la responsabilité de présider un concile œcuménique rassemblant trois mille évêques et cardinaux du monde ; ce faisant, il relativisait en même temps son rôle si important.

À une autre occasion, conversant avec une de ses nièces, sœur Angela, qui était directrice d'une clinique à Rome, il lui raconta en riant que son prédécesseur, le sérieux Pie XII, devenait très nerveux quand on lui disait qu'on avait noté quelques groupes de communistes présents à ses audiences publiques, craignant qu'il fussent venus l'espionner. Jean XXIII dit à sa nièce : « C'est le contraire qui m'arrive ; cela me fait plaisir qu'ils viennent ; cela veut dire qu'ils m'aiment. » Et il éclata de rire.

Le pape Wojtyla aussi, surtout quand il se trouve avec les jeunes, a l'habitude d'utiliser l'arme de l'humour en les faisant rire de bon cœur. Il apprécie beaucoup Malinski, un prêtre poète, ex-travailleur à qui il avait lui-même enseigné clandestinement le latin pendant la guerre en Pologne pour qu'il puisse étudier au séminaire, et qui, comme prêtre, l'accompagna ensuite dans tous les innombrables voyages qu'il fit comme pape à travers le monde, invité par les diverses conférences épiscopales. Une fois, Malinski me raconta que le pape Wojtyla aimait qu'il l'accompagnât dans ses voyages parce qu'« il se divertissait beaucoup avec lui ». Il le faisait rire avec son sens de l'humour. Et il racontait que parfois, après une journée officielle de conférences et de rencontres, par exemple aux États-Unis, tard le soir, quand ils se retiraient pour dormir, il avait l'habitude de plaisanter sur différentes coutumes des nord-américains, si éloignées des coutumes polonaises.

Un Dieu qui peut rire et sourire ne fait pas peur

La caractéristique des Églises, c'est le sérieux, l'austérité, jamais l'humour, et encore moins la satire. Alors que, comme le disent certains humoristes, c'est justement Dieu qui a le plus plaisanté dans l'histoire. Certains l'ont appelé le « grand farceur », parce que la création présente bien des côtés comiques, et pour celui qui est éternel dans toute son essence, le créé ne peut être qu'une plaisanterie, un geste d'humour. Si les croyants pensent qu'il y a eu un créateur du monde, ils ne devraient pas oublier qu'il a aussi créé l'humour dont les humains sont capables.

Malgré tout, on continue à dénier à Dieu la capacité de rire. Dans toute l'histoire de la peinture religieuse, il n'existe aucune image d'un Dieu qui rit ou sourit. Et les saints ne rient pas non plus. Tout est sérieux autour du sacré et du divin. Pourquoi ? Le dessinateur et humoriste espagnol Peridis — un architecte plein de tendresse dont les dessins ont l'art de faire sourire plus que rire — soutient que le motif pour lequel nous nions l'humour de Dieu, c'est que nous le plaçons hors de nous, au-dessus de nous, unique et tout-puissant, dispensateur de la vie et de la mort. Dieu, affirme Peridis, ne peut pas rire parce que « l'humour est l'instrument que nous avons, nous les hommes, pour conjurer la souffrance, l'échec et la mort ». Et si on ne peut attribuer au Dieu tout-puissant ni la souffrance, ni l'échec, ni la mort, il n'y a pas besoin d'humour.

C'est ce qui arrive aux enfants et aux chiens dans leurs rapports avec les adultes, affirme encore l'humoriste espagnol. En les prenant pour des dieux, ils ne savent que les adorer et ne conçoivent pas qu'ils puissent rire. Ce n'est que lorsque les adultes s'abaissent jusqu'à se faire enfants que les enfants et les chiens peuvent plaisanter et jouer avec eux.

Le christianisme qui, à travers Jésus de Nazareth, a eu la finesse d'intuitionner que Dieu est dans l'homme parce que l'homme est la meilleure révélation de Dieu, a fini par compliquer les choses. Il a eu peur d'accepter le message fondamental de Jésus selon qui chaque être humain est vraiment fils de Dieu et donc un dieu ; et il a recommencé à situer la divinité en dehors et loin de l'homme. Voilà pourquoi il a aussi perdu le sens de l'humour dans la mesure où, comme l'affirme Peredis, l'humour fait partie du patrimoine humain, et un Dieu que nous dépouillons d'humanité ne peut pas rire.

Selon le dessinateur humoristique, l'homme a découvert le rire quand « pour la première fois il a découvert le feu, parce qu'avec le feu il a vaincu l'obscurité et avec l'humour il a libéré la nuit des craintes ».

C'est pourquoi c'est uniquement quand l'homme aura perdu ses peurs et découvert que le Dieu qu'il porte dans ses entrailles est un Dieu profondément humain, qui ne condamne pas mais donne une plénitude de sens à l'humanité, qu'il pourra plaisanter avec ce Dieu parce que c'est lui qui a vaincu la mort et la peur. C'est le Dieu qui est au-dessus de toutes choses, qui ne les sacralise pas et qui peut se divertir avec elles. C'est l'image chargée d'humour de Diogène qui, devant Alexandre le Grand qui lui dit : « Demande-moi tout ce que tu veux », lui répond : « S'il te plaît, mets-toi de côté parce que tu me caches le soleil. »

Un autre dessinateur humoristique, Forges, plaisante en affirmant que les humoristes ont du mal à plaisanter avec Dieu parce « chaque fois que nous lui demandons de l'aide il est sorti promener le chien ». Il dit qu'on nie à Dieu le sens de l'humour parce que « tout ce qu'on dit dans la Bible est trop sérieux pour être humoristique ». Il raconte qu'un saint devenu chauve traversait une forêt, quand soudain des enfants se mirent à se moquer de lui. Ayant demandé à Dieu de l'aide, Celui-ci ne trouva rien de mieux que d'envoyer quelques ours qui mangèrent les enfants. Comment peut-on avoir de l'humour avec un Dieu pareil ? se demande-t-il.

Forges est convaincu que dans les anciens récits de la Bible il y avait des histoires humoristiques, joyeuses, qui ont ensuite disparu pour ne céder la place qu'à des récits cruels et sérieux. Voilà pourquoi nous ne concevons pas un Dieu qui ait le sens de l'humour. Mais, selon le théologien jésuite Juan Mateos, c'est une barbarie. « Comment peut-on, dit-il, nier l'humour à Dieu s'il est à la source de la créativité ? » Il s'est produit, ajoute-t-il, que l'Église a tant insisté sur les aspects de la souffrance, de la pénitence, du châtiment et de la faute qu'on a éliminé tout l'aspect ludique de la foi. Mateos soutient qu'il est impensable que Jésus, un personnage si intelligent et si créateur, n'ait pas eu le sens de l'humour et la capacité de faire de l'ironie. Le fait est que, plus tard, au moment d'écrire les Évangiles, on n'a donné aucune importance à cet aspect si humain de Jésus. Le seul élément qui est resté dans les Évangiles, c'est que Jésus a beaucoup fait usage du paradoxe qui, selon les Britanniques, est une forme d'ironie ; comme lorsque Jésus disait à ses disciples : « Je vous parle en paraboles pour que vous ne compreniez pas. » Les paraboles ne sont-elles pas justement la forme la plus simple et populaire de faire comprendre une vérité ?

Selon Juan Mateos, il est indiscutable que Jésus a eu une grande capacité d'humour et d'ironie, tout comme n'importe quel Juif intelligent. Mais la réalité, c'est que ceux qui ont écrit les Évangiles « ont stylisé la figure du prophète en la dépouillant de toutes les données personnelles non durables. Ils voulaient offrir aux premières communautés la figure d'un homme-Dieu qui avait fait de sa vie une vie d'amour pour les autres. Et tout le reste a été passé sous silence ».

Quant au fait que l'Église par la suite ait continué à dénier à Dieu et à Jésus la capacité de rire et de sourire des choses, on le doit, selon le théologien, à ce que « les gens en vie n'ont pas d'intérêt pour les pouvoirs, ni pour l'Église en tant que pouvoir. Car la mort les intéresse plus que la vie, et il n'y a pas d'humour dans la mort. » Il y a au contraire dans la vie et dans le sexe une autre dimension de la joie, affirme Mateos, que les Églises ont toujours crainte et perçue d'un mauvais œil. C'est pourquoi elles sont habituellement si sérieuses et si tristes, incapables de sourire même.

12

Le Dieu d'Internet

FILET

En quelque lieu du monde
aux abords
d'une nuit obscure
un poète écoute les cloches
qui dorment dans les cristaux.
Il invente les poissons et les reflets lunaires
pour qu'un autre les recueille
dans son filet de pêche de paroles.
Aucune distance n'existe :
tout horizon est possible,
chaque personne peut être rejointe,
immense vaisseau
chargé de rêves.

Roseana Murray

Il pourrait sembler irrévérencieux de parler du Dieu d'Internet. Qu'est-ce que Dieu a à voir avec cette autoroute mondiale de la communication, où tout circule, depuis les choses les plus sublimes, comme les exquises peintures de Giotto, jusqu'aux plus détestables, comme l'apologie de la violence ? Pourtant, si nous voulons parler d'un Dieu pour les années 2000, nous ne pouvons pas négliger de parler d'Internet, car le siècle qui commence va être dominé par le miracle et la folie de cette possibilité presque infinie de communication planétaire et rapide.

Voilà pourquoi je prends Internet comme métaphore. Métaphore de quoi ? D'abord, de l'anxiété humaine de communiquer et, en même temps, de la frayeur de la solitude ; du désir de rencontre parmi les hommes, de la nécessité d'établir de nouvelles relations et amitiés et, en même temps, de la peur du contact physique par le fait qu'Internet, tout en rapprochant les hommes entre eux, leur permet d'éviter le contact physique qui leur fait si peur, car, dans Internet, tout est virtuel, aseptisé, proche et lointain en même temps. Comme l'affirme le poète et écrivain José Saramago, Internet et son courrier électronique instantané ne sont rien d'autre qu'une illusion de communication dans la mesure où une lettre électronique « ne pourra jamais être tachée par une larme ».

Il est étonnant que l'instrument le plus formidable créé par l'homme après le téléphone, c'est-à-dire Internet, commence à être vu comme la parabole la plus crainte de l'incommunicabilité. Une maladie est déjà née sur Internet, une espèce d'aliénation qui envahit l'internaute ne sachant pas réguler sa propre anxiété de parcourir ces pistes technologiques de la communication. Quelqu'un pourrait penser que nous sommes en face d'un phénomène négatif à combattre avant qu'il ne commence, comme un nouveau virus, prêt à contaminer l'humanité.

Pour ma part, toutefois, je continue à penser que, malgré tous les dangers, les menaces et les réserves avec lesquels plusieurs évaluent le phénomène Internet, cette nouvelle invention de l'homme ne cesse pas d'avoir des aspects positifs. Comme cela a été le cas pour l'invention de la roue, du moteur, de la téléphonie. Et là où il y a quelque chose de positif et de créateur, Dieu doit être dans les parages, car c'est justement de cette capacité de divinité que l'homme a en lui-même que naissent les idées neuves, toute la créativité humaine. Chaque invention naît du cerveau de l'homme, dont les cellules sont alimentées par l'esprit de l'être le plus intelligent de la planète, capable de concevoir qu'un Dieu peut exister en lui, c'est-à-dire un rayon d'infini. Ou encore de le nier. C'est cette capacité de liberté de décider s'il va croire ou non, s'il va inventer ou détruire, qui rend l'homme grand et le fait semblable à un Dieu.

Sans ignorer tous les dangers que peuvent comporter les nouvelles autoroutes de la communication, il n'y a pas de doute qu'à travers ces parcours l'homme est en train de faire des pas importants dans la gestion de son avenir. Comme l'affirme Enciro Mastrofini dans la revue *Rocca*, Internet est une sorte de « lieu social » où ont un accès libre, du moins pour le moment, certaines minorités restées jusqu'à maintenant « en dehors du chœur », c'est-à-dire en dehors des puissants, et qui, par une telle voie, peuvent faire entendre leur voix pour la défense des libertés et des droits humains des plus abandonnés. À l'occasion de grands congrès internationaux, comme ceux qui ont abordé le thème de la femme à Pékin et de l'environnement à Rio, les voix minoritaires qui, autrement, auraient été oubliées par les autres moyens de communication sociale contrôlés par les grands groupes du pouvoir informatique, ont pu se faire entendre partout dans le monde grâce à Internet.

Quand les temps de la communication s'amenuisent, quand les hommes peuvent communiquer entre eux en temps réel et ont la possibilité d'exposer sur la place publique tout ce qu'ils font, pensent et veulent dire au monde, il est évident que l'univers change. Avec un certain goût pour le paradoxe, Norbert Elias met en évidence que les êtres humains sont différents des boules de billard, car celles-ci peuvent indéfiniment s'entrechoquer et continuer à être les mêmes. Tandis qu'après chaque rencontre ou conflit, les personnes ne peuvent pas continuer à être les mêmes dans la mesure où quelque chose de l'autre commence à faire partie d'elles.

S'il en est ainsi, il est évident qu'Internet changera les gens, en bien et en mal, parce que, chaque fois que les personnes communiquent avec les autres, quelque chose se transforme en elles. En fait, Internet est la grande place publique de la planète où tous, pour le moment, peuvent se rencontrer librement. Plus tard viendront les restrictions, les pouvoirs factices s'empareront du jouet ; et encore une fois, on empêchera les moins puissants d'utiliser la nouvelle invention. Mais on ne pourra pas le faire complètement. Il restera toujours de nouveaux espaces de liberté qui pourront être utilisés par tous et chacun comme cela se produit aujourd'hui avec le téléphone, la télévision ou les possibilités de voyager.

La métaphore Internet de la masse humaine de communicateurs à la recherche de tout et de rien indique pour le moins que l'homme, créé avec la vocation d'échanger ses expériences avec ses semblables et doté de la capacité de la parole et de la liberté, ne réussit pas à ne pas communiquer. C'est ce que semble indiquer aussi Juan Luis Cebrián dans son récent livre *Le Filet* lorsqu'il écrit : « Les autoroutes informatiques nous renvoient l'image de millions d'hommes et de femmes qui parlent avec leurs semblables en long et en large de tout l'univers, et c'est la perception la plus puissante et la plus défendable de leurs apports à la construction moderne de la société. » Cela peut sembler un paradoxe parce qu'il y en a qui croient, au contraire — nous y avons déjà fait allusion —, qu'Internet est la démonstration la plus évidente de l'incommunicabilité de cette fin de siècle. C'est précisément, nous disent certains observateurs sociaux, parce que l'être humain se ferme toujours plus sur lui-même et qu'une relation normale et personnelle avec son prochain lui est quotidiennement plus difficile qu'on a inventé ces pistes aseptisées, métalliques, froides et impalpables pour communiquer à distance sans se toucher, sans se rencontrer face à face, sans se regarder dans les yeux.

Tout cela peut être vrai. Mais comme pour tout ce qui appartient à la vie humaine, rien n'est pure vérité ni pur mensonge. La métaphore d'Internet pourrait aussi indiquer que l'être humain commence à se fatiguer de rester enfermé dans son petit jardin et qu'il cherche à rencontrer désespérément les autres : ne pouvant pas le faire physiquement, il cherche à le faire à travers les parcours virtuels, avec l'intention désespérée de sortir de la solitude. Nous avons tous dit qu'un baiser donné par téléphone n'est pas comme un baiser donné sur les lèvres de la personne que nous aimons, mais il serait stupide d'affirmer que le téléphone n'a pas rapproché les hommes entre eux, qu'il n'a pas créé des moments magiques d'intimité et de poésie inconnus jusqu'alors. Il l'a fait sans aucun doute.

Quand on s'approche de son prochain, on se transforme

Le téléphone a éliminé et élimine beaucoup la solitude : il rapproche ceux qui ne peuvent pas se rencontrer physiquement d'une autre façon, et allège la solitude et l'angoisse du silence. Si le téléphone — à travers lequel ont sans doute couru les vibrations de Dieu, spectateur invisible de tant de drames et de bonheur qui se dénouent à travers ce mystère de la voix qui fait le tour du monde et arrive jusqu'à notre intimité — a réussi cela, Internet ne manquera pas de le faire non plus. Et si les gens se rapprochent, quand bien même ce ne serait que de façon virtuelle, ils ne pourront pas ne pas être transformés, ainsi que l'affirme Norbert Elias.

Il existe pourtant un danger : qu'une telle communication finisse par être sans âme, sans un Dieu intérieur qui la vivifie. Dans ce cas, il pourrait arriver aux personnes ce qui se passe pour les boules de billard : au lieu de subir une transformation intérieure chaque fois que nous nous effleurons et nous confrontons entre nous, que nous communiquons, nous demeurons froids et vides comme avant. Comme des boules de billard.

Mais ce n'est pas une raison pour combattre Internet, comme Don Quichotte combattait les moulins à vent en croyant qu'ils étaient des géants dangereux. Il s'agit plutôt de savoir découvrir le message que recèle cette nouvelle possibilité de langage et d'échange entre les êtres humains. Savoir lire le mystère que cache en elle-même cette nouvelle invention du génie humain, savoir y découvrir la présence cachée du Dieu qui anime la rencontre amicale entre les hommes, pour qu'elle soit un instrument de paix et d'amitié, et non de guerre et de violence. Sera-ce possible ? Comme toujours, cela dépendra de nous, de l'utilisation que nous saurons en faire, de notre conviction de vouloir défendre la capacité de liberté que contiennent ces nouvelles voies de communication, pour qu'elles ne soient pas prostituées et que, sous le prétexte d'éviter les excès, le pouvoir ne finisse pas par s'en emparer pour nous les remettre une fois domestiquées, sans âme et sans Dieu, au service des plus puissants encore une fois, et défendues aux moins fortunés.

Comme toutes les choses nouvelles qui naissent, Internet a aussi sa magie, ses possibilités infinies de rencontre et de modernité. L'idée que n'importe quel être humain en mesure de lire et d'écrire puisse de n'importe quel coin du monde, non seulement communiquer avec ses semblables — chose qui se produit déjà par le téléphone, par le télécopieur, par la radio ou la télévision —, mais aussi exposer sur la grande place du monde tout ce qu'il a, tout ce qu'il veut montrer — des réalités les plus intimes aux réalités les plus publiques —, est une idée fascinante. Et aussi que, grâce aux nouvelles technologies, cela puisse se réaliser à partir des lieux les plus éloignés de la terre, perdus dans la forêt amazonienne ou dans les déserts de l'Afrique. Je donne un exemple insignifiant, mais symbolique. Une personne quelconque écrit une poésie et désire la communiquer à tous, ou a un urgent besoin d'être aidée : elle demande cette aide au monde immense en naviguant sur Internet.

Jusqu'à maintenant, une telle poésie serait restée cachée, puisque seuls quelques privilégiés peuvent accéder à une maison d'édition pour la publication. Aujourd'hui, non. Je peux exposer sur le grand marché de la planète ma petite poésie qui fait peut-être vibrer le cœur d'une autre personne qui s'y ébat en naviguant sur Internet, ou conquérir quelque éditeur distrait. Et il y a aussi la possibilité de sortir d'une situation dramatique, comme cela s'est déjà produit à Madrid, il y a peu. Une jeune enfant d'un quartier pauvre, orpheline de père, avait besoin d'une transplantation urgente de moelle osseuse pour pouvoir continuer à vivre, mais ses possibilités économiques étaient nulles. La mère, désespérée, a frappé aux portes d'Internet et le miracle s'est produit. Une dame anonyme, à l'autre bout du monde, en Australie, a répondu qu'elle était disposée à subir une intervention pour qu'on lui retire la portion de moelle dont avait besoin la jeune enfant de Madrid pour ne pas mourir. Une femme médecin d'un hôpital de Madrid obtint avec son mari journaliste un billet d'avion pour aller cueillir cette moelle vivante à l'autre bout du monde. Et le don arriva comme par miracle et sauva la pauvre enfant. L'ombre de Dieu a certainement passé à travers cette communication d'Internet. Je crois qu'il suffit de cette vie sauvée pour pouvoir affirmer qu'Internet aussi peut être un instrument supplémentaire de libération, capable de rendre quelqu'un plus heureux et moins esclave, moins seul et isolé, en lui offrant en même temps de plus grandes possibilités de solidarité avec son prochain.

Qu'Internet ait servi à créer de nouveaux amis, de nouvelles relations, c'est un fait. Il y en a même qui ont rencontré le partenaire de leur vie par Internet. Et, dans un monde qui a tant besoin d'amitié et de rencontre, où les personnes se voient toujours plus poussées vers la solitude et l'incommunicabilité, je crois que tout ce qui peut contribuer à vaincre de telles barrières de solitude, si infime que ce soit, est quelque chose de positif.

Les Églises ne doivent pas condamner Internet comme elles ont un jour condamné le train

Face à cette nouvelle possibilité que la science et la technologie humaines ont ouverte au monde, les Églises devraient faire bien attention de ne pas retomber dans les erreurs du passé, lorsqu'elles condamnaient tout nouveau progrès en le considérant davantage comme le fruit du démon que de Dieu. Comme cela s'est produit pour le train, que l'Église a condamné comme un instrument qui, selon elle, séparait les familles en permettant aux hommes de voyager davantage, et donc d'avoir de plus grandes tentations et possibilités de pécher.

Les religions qui ont tant favorisé le magique et le surnaturel, le mythique, devraient savoir qu'en toute invention humaine il y a toujours une dose de magie, de pouvoir presque surhumain, de ce que nous appelons le génie ; et que Dieu, quel qu'il soit, ne peut donc pas être étranger à tout ce qu'offre de nouveau l'intelligence de l'homme, créé, comme l'affirment les croyants, à son image et à sa ressemblance.

Aujourd'hui, l'Église catholique commence à ouvrir les yeux, puisqu'elle a non seulement réhabilité Galilée, mais que même le pape Wojtyla a sa page personnelle sur Internet, et qu'on peut écouter Radio-Vatican sur Internet.

Il y a toujours eu une crainte presque ancestrale face à toute nouveauté qui apparaît dans le monde, comme aussi on a toujours eu peur de l'avenir. Cette crainte du nouveau et de l'avenir conduit parfois les gens, poussés par la peur des religions, à se réfugier dans l'éphémère, dans ce qui est sécuritaire, dans ce qui est connu sans risquer l'aventure. Alors que, s'il y a quelque chose de totalement aventureux, c'est précisément le voyage religieux et mystique, la recherche de quelque chose qui peut nous « transcender ». C'est un voyage dans le vide, pour certains dans l'absurde, dans le néant, mais un voyage auquel des millions d'hommes et de femmes n'ont jamais renoncé, quels que soient les risques qu'un tel parcours peut comporter.

Se réfugier dans le passé, refuser ce qui arrive, est une position plutôt infantile, et n'est pas adulte. S'arrêter uniquement à ce qui est déjà connu, c'est comme se résigner aux fruits déjà mûrs d'une plante et avoir peur d'assister au processus vital de l'arbre qui se renouvelle, qui recommence à produire des germes de vie, de nouvelles feuilles et de nouvelles fleurs pour redonner de nouveaux fruits. La vie est mouvement, et nous savons tous que les eaux mortes finissent par se putréfier.

Et Dieu est là où il y a du mouvement, de la vie, de l'intercommunication, car Dieu est la Parole, la raison d'être de tout ce qui naît, comme il génère la vie. Celui qui conçoit Dieu comme quelque chose de statique, d'immuable, d'éternel dans le pire sens du mot, c'est-à-dire un Dieu sans surprises, cela veut dire qu'il ne connaît pas les profondeurs du cœur humain, sanctuaire du vrai Dieu, car notre cœur est en perpétuel mouvement de désirs, d'anxiétés, de stimulations, de projets, d'angoisses et de bonheur. Seul celui qui est mort demeure privé de ce moteur de vie qu'est l'intériorité de l'homme ; Jésus disait déjà que les pires et les meilleurs sentiments s'y cachent parce que du cœur procède tout le bien et tout le mal de l'humanité. Et quand je dis du cœur, je me réfère au meilleur de l'être humain, à sa personnalité globale, à ses sentiments et ses pensées, à son intelligence, ses entrailles.

C'est pourquoi, comme ce l'est encore aujourd'hui, cette grande place sociale d'Internet — où se reproduisent le meilleur et le pire des désirs humains de n'importe quelle partie du monde — est ce qui ressemble le plus, avec ses lumières et ses ombres, ses éclairs de génie et ses pertes de goût, à ce qui bouillonne dans l'âme d'un être humain, tel un volcan en perpétuelle éruption. En ce sens, nous affirmons que si l'homme de l'an 2000 est, qu'on le veuille ou non, l'homme d'Internet, des intercommunications globales, on ne peut laisser l'idée du divin en dehors de cette nouvelle grande planète fabriquée par l'homme avec son intelligence, qui est le grand don des dieux.

13

Le Dieu qui nous habite

MON DIEU

Que je sois toujours
la maison de ton désir,
la demeure de ta soif et de ton eau.
Nue, en équilibre dans ta peau
comme une ballerine entre deux lunes,
que mes mains s'immergent
dans ton cœur pacifié,
dans ton humus et dans ton sang.
Que je dorme toujours
sous ton ombre,
toi, ô mon arbre sacré,
qui tous les jours fabriques la vie.
Et que tous les fruits
soient permis et consacrés.

Roseana Murray

Le mystique Eckhart disait : « J'appelle Dieu ce qui est au plus profond de nous-mêmes et à la pointe ultime de nos faiblesses et de nos erreurs. » Et Marguerite Yourcenar affirmait que seul celui qui meurt « sait donner un nom au Dieu qui l'habite ».

Croire en un Dieu extérieur, en dehors de nous, qui gouverne le monde, qui bénit ou punit les hommes selon leurs actions, qui détermine notre vie, peut appartenir au domaine de la foi très concrète d'une religion révélée. Et la foi, selon les catholiques, est un don que Dieu accorde et que personne ne peut conquérir par lui-même. Dans ce cas, il n'y a pas de discussion possible. Ou on croit ou on ne croit pas.

Le monde de la croyance en quelque chose que nous sentons nous transcender et qui, en même temps, est en nous, uniquement dans notre intimité, est plus complexe et plus vaste. Voilà pourquoi il n'est pas facile de définir Dieu, ni d'exprimer ce que veut dire « croire ». Parfois, certains amis me demandent si je crois en Dieu. Il n'est pas facile de leur répondre, car tout dépend de ce que nous entendons par Dieu. Ce serait plus facile s'ils me demandaient si je crois dans les dogmes de l'Église catholique. Là, on peut dire oui ou non. Mais même dans ce cas, depuis que Jean XXIII a fait la distinction importante entre la formulation verbale des dogmes et leur substance, il n'est pas si facile de répondre. Prenons un exemple concret : le dogme de la virginité de Marie. Pour une certaine théologie dogmatique traditionnelle, cela veut dire que Marie a mis au monde un fils par l'œuvre et la grâce du Saint-Esprit, sans aucune collaboration masculine. Toutefois, pour bon nombre de théologiens et de biblistes catholiques, ce qui est contenu dans ce dogme, c'est que naître d'une femme vierge signifiait, dans la tradition culturelle de l'époque où ont été écrits les Évangiles, que le fils qu'elle mettait au monde allait être un personnage important pour l'histoire. Dans le cas de Jésus, un personnage de première grandeur dans le domaine religieux.

Par conséquent, si quelqu'un demande à un catholique s'il croit au dogme de la virginité de Marie, comment pourrait-il répondre immédiatement, sans d'abord clarifier ce que comporte ce dogme ? On pourrait dire la même chose pour les dogmes de la résurrection et de l'eucharistie.

En laissant de côté cette thématique, qui appartient davantage au domaine de la foi catholique — où nous savons qu'il existe une grande dialectique à l'intérieur de l'Église elle-même sur le thème de l'interprétation de ses dogmes fondamentaux, surtout depuis le concile Vatican II —, il existe l'autre domaine, celui de la croyance en une certaine présence de quelque chose que nous sentons à l'intérieur de nous-mêmes et que parfois nous appelons Dieu, même sans nous sentir croyants de manière traditionnelle. Certains de mes amis, intellectuels ou non, retiennent que tout ce qui existe, y compris Dieu, est entièrement dans le cerveau de l'homme, dans son cœur, dans sa conscience, c'est-à-dire seulement en lui. Ce qui peut dépendre de deux choses : ou bien c'est l'homme qui se crée un Dieu, qui se le rend nécessaire parce qu'il a besoin de lui ; ou bien l'homme a l'intuition qu'au plus intime de lui-même il y a des sentiments, des pensées et des aspirations qui vont au-delà de la simple routine, comme s'il s'agissait d'une présence, bénéfique parfois et critique d'autres fois, qui conduit à penser que l'homme, qu'il le sente ou non, est en lui-même quelque chose de plus qu'un morceau de « chair avec des yeux ». Un homme qui parfois ressent comme une impulsion à s'autotranscender, ou au moins à désirer être quelque chose de plus que ses misères, quelque chose qui le rachète dans les moments personnels d'enfer et qui lui fait croire qu'il existe un point intérieur, où on peut se réconcilier avec le meilleur de soi-même.

Et il y en a qui se réjouissent de voir les traces de Dieu dans la beauté des choses. Le théologien brésilien Leonardo Boff a une page significative dans laquelle il raconte une anecdote concernant sa mère : « Toi qui es théologien, as-tu vu Dieu ? » demande-t-elle à son fils. Et Boff lui répond : « Maman, personne ne voit Dieu. » Mais sa mère insiste : « Quoi ! toi qui es prêtre et théologien depuis tant d'années, tu n'as pas vu Dieu ! C'est une honte. » Alors son fils lui demande : « Mais toi, tu le vois ? » Et elle de répondre : « Certainement que je le vois. De temps à autre, au coucher du soleil, les nuages se placent d'une certaine manière. Je m'arrête pour regarder, et il passe avec son manteau, en souriant ; et après lui, vient ton père décédé qui me regarde et me sourit, et je reste avec la joie dans le cœur pendant toute la semaine. » Et Boff de faire le commentaire suivant : « La vraie théologienne, c'est elle, en dépit du fait qu'elle est analphabète. »

Dans une entrevue, quand on demande à Boff s'il voit Dieu, il répond :

Il me semble que l'on voit avec les yeux intérieurs. Nous ne voyons peut-être pas Dieu, mais nous le sentons. Par exemple, lorsqu'une personne ressent de l'enthousiasme en se levant

le matin, quand elle est capable de tendre la main à quelqu'un d'autre... Dieu n'est pas un objet, il n'est pas une
identité, c'est une passion suprême, ce que les Grecs expri-
maient de façon géniale — et cela me plaît de le répéter parce
que c'est présent dans notre langue — par le mot « enthousiasme » qui signifie justement « avoir un Dieu en soi ». Voilà
pourquoi tout enthousiasme est l'essence de la vie dans la
mesure où l'essence de la vie n'est pas la vie, mais la vitalité
du vivre, c'est l'énergie qui fait vivre la vie. Par conséquent,
je crois que c'est la réalité qui pénètre tout et qui ne se laisse
pas capter, sans laquelle nous ne comprenons pas notre force,
notre espérance, notre rêve. Je crois que c'est cela, Dieu...
cette présence secrète, subtile, cette passion, ce feu intérieur
que nous appelons Dieu. (Leonardo Boff, *Semblanza, Nueva
Utopia*, p. 259)

L'homme des années 2000 va être toujours plus allergi-
que à admettre le Dieu aride des dogmes, de quelque
religion qu'ils soient, alors qu'il peut se sentir enclin à
écouter la voix de ce Dieu que nous portons tous en nous,
au plus intime de nous-mêmes, et que nous baptisons du
nom qui nous plaît le plus. Quelque chose d'intime en
nous, qui n'a pas besoin de venir des étoiles.

Les mêmes Églises sont habituellement réticentes à admettre qu'on puisse vérifier des manifestations externes de
Dieu; même si, dans les cas de phénomènes sérieux d'ap-
paritions extérieures des madones et des saints, elles ten-
dent à croire qu'il s'agit de visions intérieures, indiquant
par là que le cœur de l'homme est le lieu où un Dieu peut
se révéler avec plus de certitude parce qu'il y habite réel-
lement.

La difficulté d'être fidèle au Dieu intérieur

Il est vrai qu'il est bien plus gratifiant de chercher Dieu en dehors de nous, sur un trône, entouré de pouvoirs magiques, dans les grandes liturgies, car, de cette façon, les hommes lui délèguent tout. En étant unis, les hommes de la peur se sentent protégés quand il prient le Dieu extérieur capable d'accomplir des miracles, et en même temps, ils peuvent décliner leurs propres responsabilités. En effet, si Dieu est tout-puissant et qu'il ne résout pas un problème, on en conclut que la chose ne nous convient peut-être pas. Si, ensuite, un bonheur inespéré nous arrive, nous croyons que Dieu veut récompenser une de nos bonnes actions.

Il est beaucoup plus difficile d'accepter que Dieu soit en nous, que chacun de nous est ce Dieu qu'il cherche au-dehors. Car, en prenant conscience de cette réalité, il nous arrive ce qui est arrivé à ce pauvre Jésus de Nazareth dont toute la responsabilité personnelle s'éveille dans la découverte que chaque être humain est un Dieu en puissance. Conscient qu'il ne peut absolument pas la déléguer aux divinités extérieures, il sait qu'il doit être conséquent avec cette découverte de se sentir Dieu et mettre sa propre existence à la disposition des autres pour leur révéler cette immense découverte. Et il se sent écrasé par un tel poids. Il en arrive à suer du sang, parce qu'il ne comprend pas comment un être humain puisse en même temps être Dieu. Et quand le pouvoir veut le tuer parce qu'il entrevoit que cet homme se sent être plus qu'un homme, il saisit qu'on veut tuer non pas un homme, mais le fils d'un Dieu.

Voilà pourquoi, sur la croix, où il arrive en vertu de la fidélité à cette vérité intérieure qu'il avait découverte, il ne comprend rien, se sent comme un raté et en demande compte à Dieu : comment pouvait-il l'abandonner de cette façon s'il savait qu'il était un Dieu, ce Dieu qui se loge dans tout cœur humain ?

J'ai toujours pensé qu'il est beaucoup plus difficile d'accepter que tout homme est un embryon de Dieu et que seul le cœur de l'homme est la maison de Dieu, que d'accepter un Dieu tout-puissant en dehors de notre vie et de notre histoire, qui peut faire de la terre et des hommes ce qu'il veut et lui plaît parce qu'il domine l'univers.

Se sentir Dieu au-dedans de soi, c'est se charger d'une responsabilité que peu sont disposés à accepter. Il vaut mieux se fier au Dieu des dogmes et des Églises, car, de cette façon, nous nous épargnons l'effort de déchiffrer ce mystère que nous sommes, puisque ce sont ses représentants qui nous diront comment ce Dieu est fait et comment nous devons l'aimer et l'adorer.

J'ai toujours cru qu'il est bien plus difficile d'être fidèle à sa conscience qu'aux lois extérieures, pour la simple raison que la conscience est plus exigeante que toutes les lois. Et on ne peut pas s'en moquer, comme on peut le faire avec les lois. Elle est plus sévère ; c'est la partie la plus profonde de nous, qui nous dit avec clarté et pleine authenticité quand nous sommes en train de nous tromper, quand nous sommes infidèles au meilleur de nous-mêmes.

Voilà pourquoi saint Augustin affirmait : « Aime et fais ce que tu veux. » C'est comme s'il affirmait : sois fidèle à ta conscience, la seule chose qu'elle te demande, c'est que tu aimes les autres comme toi-même, que tu respectes ton prochain, que tu souffres et te réjouisses avec lui, que tu te sacrifies surtout pour son bien. Alors tu peux te sentir libre de toutes les lois extérieures. Saint Augustin était très clair là-dessus. Il disait, par exemple, que s'il entrait dans une maison et voyait qu'un homme et une femme s'aimaient vraiment, il n'avait aucunement à demander s'ils étaient mariés parce que le sacrement même de l'amour les unissait ; alors que s'il voyait les deux se haïr, peu importe les sacrements que cet homme et cette femme avaient reçus, ils n'étaient pas mariés.

Personne mieux que les grands mystiques de toutes les religions n'a théorisé, touché du doigt et fait l'expérience de la vérité que Dieu habite dans le cœur de l'homme et non pas en dehors de lui. Ce sont les mystiques qui, avec des images et de très belles métaphores poétiques, nous ont révélé, mieux que bien des théologies, la vérité que tout être humain est un Dieu en puissance, et que ce que l'homme peut deviner de Dieu, il le réalise à travers ce qu'il ressent au plus intime de lui-même.

Le mystique et poète Jean de la Croix, grand ami de l'autre mystique de première grandeur, Thérèse de Jésus — il semble que les deux étaient d'origine hébraïque et ne manquaient pas de connaissance de l'hindouisme, tous les deux canonisés et proclamés docteurs de la foi par l'Église, après avoir été persécutés et taxés d'hérésie —, avait l'habitude d'utiliser l'image du feu qui transforme tout en flamme vive. Le cœur de l'homme est comme un morceau de bois parfois très vert qui, pour devenir incandescent et se transformer en flamme et en braises, en feu qui vivifie et rend incandescent ce qu'il croise en chemin, a besoin d'une petite flamme initiale, de ce souffle de Dieu que nous portons tous au-dedans de nous. Lorsque ce souffle divin touche cette matière humaine, elle commence d'abord par produire de la fumée, à chasser l'humidité et les scories qu'elle contient et qui l'empêchent encore d'être lumière. Ce n'est qu'après avoir traversé cette phase d'obscurité et de purification intérieure que le feu, la flamme, la chaleur, la vie commencent à apparaître. Le

Dieu qui se tenait caché, occulté par l'impureté du bois, apparaît. Alors le bonheur inonde la maison intérieure de l'homme désormais purifié. Le feu peut s'éteindre à nouveau si nous ne l'alimentons pas avec soin et amour. À la fin, nous pourrions n'être que cendre. Comme tout amour, y compris le plus humain, même cet autre amour sublime qui brûle en dedans et à qui on peut donner le nom qu'on veut a besoin d'être cajolé, caressé, surveillé, pour qu'il se rallume à tout moment, qu'il se maintienne vivant et ne périclite pas.

Le mystique affirme : « Dieu demeure et est présent substantiellement en toute âme, même dans celle du plus grand pécheur du monde. » C'est-à-dire que l'âme de l'être humain est l'unique temple de Dieu. Pour arriver à se transformer en Dieu lui-même, il faut, selon Jean de la Croix, une union d'amour : « Quand l'âme laissera complètement ce qui répugne et n'est pas conforme à la volonté divine, elle sera transformée en Dieu dans l'amour. »

Jean de la Croix ressent, cependant, qu'une telle transformation de l'homme en Dieu n'est pas si évidente pour l'être humain, et c'est pour cela qu'une telle illumination intérieure s'appelle « rayon ténébreux ». Il s'agit, en fait, d'une « sagesse secrète de Dieu ». Et il donne un autre exemple, en plus de celui du feu : c'est comme le rayon de soleil qui traverse un cristal. Plus le cristal est sale, moins la lumière apparaît claire, et inversement. Et quand le cristal est parfaitement propre et transparent, il finit lui-même par se transformer en lumière, même s'il demeure distinct de la lumière qui l'illumine. En se transformant en Dieu lui-même, l'âme, dit-il, est « comme une flamme qui consume et ne fait pas souffrir ».

On ne fait l'expérience de Dieu qu'à travers l'amour

À partir du moment où l'homme découvre que Dieu de-meure en lui et qu'en lui habite la divinité elle-même, il commence alors à faire une cour d'amour, un amour qui ne trouve d'autres paroles plus expressives que celle de l'amour humain de tous les amoureux de la terre. En effet, c'est ainsi qu'il chante dans le livre *La vive flamme d'amour* :

> Avec combien de douceur et d'amour
> Vous vous réveillez dans mon sein,
> Où vous demeurez seul en secret ;
> Par votre aspiration délicieuse,
> Pleine de bien et de gloire,
> Avec quelle délicatesse vous m'embrasez d'amour !

Parvenu à cette vive expérience d'amour, et d'un amour qui dépasse toutes les amours que l'homme peut embras-ser avec toute son intelligence et tout son cœur, devinant qu'il s'agit de quelque chose de si sublime qu'il a besoin d'autres sens pour pouvoir en jouir totalement, le mysti-que s'exclame :

> Ô vive flamme d'amour
> Que vous blessez avec tendresse
> Le centre le plus profond de mon âme !
> Puisque vous ne me causez plus de peine,
> Achevez enfin, si telle est votre volonté ;
> Déchirez la toile, obstacle à cette douce rencontre.

Ces vers d'amoureux — qui désire ardemment voir se rompre ce voile qui le sépare de la rencontre triomphale de l'amour définitif — ont un écho chez l'autre grande mys-tique espagnole, Thérèse d'Avila, amie intime de Jean de la

Croix. Les deux s'écrivent des lettres passionnées que personne n'a jamais pu lire puisque Jean de la Croix, qui les portait toujours sur lui dans sa besace, finit un jour par les brûler par peur d'y rester trop attaché. Ainsi Thérèse écrivait :

> Je vis sans vivre en moi.
> Et j'attends une telle joie
> que je me meurs de ne pas mourir.

Deux grands mystiques, deux grands poètes, deux grands saints ont deviné — comme tant d'autres dans l'histoire et dans les diverses religions — que le vrai Dieu est dans l'homme, que l'amour humain, quand il se purifie et s'illumine, se fait divin, que l'être humain a une vocation de divinité, et que cet amour qui ne passe que par les sens ne lui suffit pas. Mais il ne peut exister aucune expérience vécue de Dieu, goûtée et non seulement imaginée, qui n'ait sa métaphore et son fondement dans les sens, dans notre corps, passant par nos sentiments purifiés. Voilà pourquoi les mystiques chantent Dieu par des vers de tous les amoureux de l'histoire. Comme le font les protagonistes du *Cantique des Cantiques*, le livre le plus érotique de la Bible, que l'Église reconnaît être inspiré par Dieu. Dans le *Cantique*, l'aimé dit à son aimée :

> Tes seins, qu'ils soient des grappes de raisin,
> le parfum de ton souffle,
> celui des pommes ;
> tes discours, un vin exquis !
> Il va droit à mon bien-aimé,
> comme il coule sur les lèvres de ceux
> [qui sommeillent.
> Je suis à mon bien-aimé,

et vers moi se porte son désir.
Viens, mon bien-aimé,
allons aux champs !
Nous passerons la nuit dans les villages,
dès le matin nous irons aux vignobles.
Nous verrons si la vigne bourgeonne,
si ses pampres fleurissent,
si les grenadiers sont en fleur.
Alors je te ferai
le don de mes amours. (*Ct* 7,9-13)

Il est évident que le Dieu de la Bible a choisi le langage de l'amour charnel pour indiquer que toute expérience d'amour divin doit passer par l'expérience de l'amour humain, du moment que l'homme ne possède pas d'autres types d'amour ni d'autres mots pour exprimer cette expérience unique de bonheur à l'état absolu.

Il n'y a pas de doute que l'expérience des mystiques et des prophètes bibliques devrait faire réfléchir les bureaucrates de la foi qui, tant de fois, ont présenté la religion comme absence ou négation de l'amour humain, de l'expérience sexuelle, comme si elle était ennemie, et non pas instrument humain pour toucher les sommets de la divinité.

Les chrétiens prêchent une « folie » à laquelle eux-mêmes ne croient pas tout à fait, à savoir que Dieu « s'est fait chair » ; et donc souffrance, mais aussi joie, plaisir, amour dans toutes ses expressions. Autrement, il se serait fait ange, esprit. Non. Il s'est fait homme, avec toutes ses conséquences, avec toutes ses misères et ses sublimités. Mais homme. C'est pourquoi la chose le plus sûre de toute religion serait que Dieu soit seulement ce que l'homme porte en lui de divin.

14

Lettre à ma fille sur Dieu

CALICE

Fais de moi ton calice,
la clochette et le signal,
le pont qui conduit au destin,
port d'arrivée et tournesol.
Fais de moi l'échelle jusqu'au ciel,
le chemin secret, la sphinge déchiffrée,
la parole perdue et retrouvée.
Fais de moi ton puits d'eau tranquille
et ta soif étanchée.
Fais de moi ton désert aux mille couleurs,
habité par tous les vertiges,
par tous les mirages.
Fais de moi ton poème.

Roseana Murray

Toi et moi n'avons jamais parlé de Dieu. Je ne sais même pas si un jour tu liras ce livre. Depuis que tu es petite, j'ai toujours voulu que tu sois libre de croire ou de ne pas croire. Ou que tu puisses croire en ce qui, un jour, t'aurait attirée le plus. Chacun est responsable de son destin, le construit à son goût, et personne n'a le droit de nous construire à sa mesure.

Nous n'avons pas parlé de Dieu. Mais de la souffrance ou du bonheur, oui, ce qui peut-être est la même chose. Surtout de la souffrance des autres. Chaque fois que je t'ai vue indignée face à la souffrance de quelqu'un sans pouvoir la comprendre, c'était comme si tu demandais : pourquoi doit-il en être ainsi ? Même face à la souffrance inutile infligée à un animal, chose qui encore aujourd'hui te blesse tant, et qui soudainement changeait ton visage d'enfant en celui d'un adulte, je sentais que c'était comme si tu me demandais ce qu'il y a derrière la souffrance. Jamais tu ne m'as interrogé sur Dieu.

Pas même le jour où ta meilleure amie qui n'avait que quinze ans est morte d'un cancer au cerveau. Je t'ai vue muette pendant quelques jours, renfermée dans ta solitude. J'ai su ensuite que tu avais laissé échapper ce commentaire : « J'aurais préféré mourir. » Tu l'aimais beaucoup. À cette occasion, dans la fleur de ton adolescence, tu me demandas de réfléchir sur la vie et sur la mort. Que de questions tu te seras posées toute seule dans ta chambrette, entre les peluches et les posters géants de tes chanteurs préférés. Seul, en cette occasion, j'ai été tenté de te demander si tu t'étais interrogée sur l'injustice de voir une jeune fille de ton âge disparaître de la vie comme un souffle. Mais ça aurait été le pire moment pour t'interroger sur Dieu, parce que tu n'aurais pas su répondre à tes possibles questions. Tu m'aurais rappelé la phrase qui m'a été dite un jour par un chauffeur de taxi à Rome : si Dieu existe, il devrait mourir de honte. Il était probablement en train de « mastiquer » une douleur insupportable comme la tienne.

Si tu t'étais adressée à quelque Église, on t'aurait peut-être dit des choses absurdes sur Dieu. Comme lorsqu'on a dit à un de mes amis, au moment de la mort de sa femme, qui le laissait seul avec six petits enfants : « Tu dois être content, parce que cela veut dire que Dieu l'aimait au point de la prendre avec lui. » Non, si Dieu existe, il ne peut pas être sadique. Il est difficile de comprendre qu'il puisse y avoir un Dieu capable de permettre qu'une enfant de quinze ans ou qu'une jeune mère disparaissent ainsi, alors que tout était bonheur autour d'elles.

La vérité, c'est qu'avec Dieu ou sans lui, il est difficile pour nous tous de comprendre certaines souffrances. C'est pourquoi il y a quelqu'un qui a dit que l'existence de Dieu a cessé d'avoir du sens avec les camps de concentration nazis, avec leurs fours crématoires, leurs cellules de la mort, leurs murs d'exécution. Il est certainement difficile de concilier — a-t-on dit — l'existence de Dieu avec le martyr des innocents de l'histoire. À moins que Dieu ne soit autre chose.

Il se peut qu'un jour ou l'autre quelqu'un t'interroge sur Dieu, ou que toi-même tu t'intéresses au mystère qui se trouve derrière la vie et la mort. Voilà pourquoi j'ai voulu ajouter à ce livre, pour toi, ce que j'appellerais quelques «pensées interdites sur Dieu». *Pensées*, parce que ce n'est que cela : des idées que j'ai retournées en moi tout au long de ma vie, après en avoir parcouru bien des sentiers. *Interdites*, parce qu'elles sembleront à beaucoup peu orthodoxes, contrastant parfois, avec les dogmes religieux officiels. *Interdites*, parce que ce ne sont pas celles qu'on entend d'habitude dans les églises, et parce qu'il ne s'agit pas de doctrines ni d'idéologies, mais de rêves éveillés, de réflexions personnelles et intimes, en marge de tout ce qui est officiel.

Pour toi et pour les enfants des années 2000

Je t'écris cette lettre à la veille du nouveau millénaire. C'est pourquoi je voudrais que ce soit une lettre aussi pour les enfants qui vont venir au monde à l'aurore du nouveau siècle. Les premiers êtres humains des années 2000 naîtront ce matin-là dans un quelconque coin inconnu du globe, probablement dans une forêt quelconque de l'Afrique ou du Brésil, ou dans quelque faubourg de l'Inde ; ou encore dans la rue, exposés aux intempéries.

Il se peut qu'un jour quelqu'un leur parle de Dieu pour les consoler dans leur pauvreté ou pour la leur rendre encore plus insupportable. De quel Dieu ?

S'ils sont chanceux, ils leur parleront d'un Dieu qui ne se mêle pas de leur vie, qui veille plutôt pour qu'ils puissent vivre libres, sans autres tables de la loi que celle de leur conscience, et qui ne les condamnera pas non plus s'ils décident de faire abstraction de lui quand ils ne le considéreront pas comme indispensable dans leur vie. Un Dieu qui, au moins, ne sera pas pire que leur meilleur ami. Mais il n'en sera pas ainsi. Les dieux dont ils vous parleront seront bien plus effrayants et ils finiront par vous injecter le venin de la peur dans les veines.

À moi aussi, lorsque j'étais enfant, on m'a parlé de Dieu. C'était surtout un Dieu qui m'inspirait la crainte, même si j'essayais de l'aimer; un Dieu qui m'obligeait à me confesser devant un autre homme pour me sentir pardonné de choses que je ne comprenais pas, pour avoir contrarié un Dieu important qui avait créé de rien les oiseaux et les montagnes.

Que l'on en vienne donc à dire peu à peu à ces enfants que, s'il y a quelqu'un qui est capable de connaître les misères et les grandeurs de l'âme humaine, cela doit être Dieu, s'il existe. Car personne mieux que lui ne peut connaître notre intimité, puisqu'il nous a créés de son souffle. C'est pourquoi nul n'est plus disposé à nous pardonner et à nous encourager, alors même que ceux qui se disaient nos amis nous ont abandonnés. Un Dieu qui est une seule porte ouverte, sans clef et sans serrure, pour que nous puissions entrer chez lui à n'importe quelle heure: la parole unique qui ne trahit pas, le seul qui n'ait pas besoin de mentir pour avoir à se défendre, le seul qui puisse comprendre que nous devons être fidèle par-dessus tout à nous-mêmes, au point même de le nier lorsque nous ne comprenons pas les raisons de son existence.

Je m'imagine que le Dieu qu'on enseignera à ces enfants nés au cours des années 2000 ne sera pas comme cela. Voilà pourquoi j'ai pensé leur adresser à eux aussi cette lettre, comme je le fais pour toi. Je veux que tu saches et qu'ils sachent eux aussi — parce qu'ils vivront très loin de notre civilisation — que tous ceux qui appartiennent à cette partie du premier-monde riche et qui ont l'habitude d'aller vers eux pour enseigner une vérité considérée comme unique, et qui doit donc être imposée par le feu et par le sang, ne pensent pas tous de la même façon.

Je voudrais leur dire que dans ce coin riche du monde il y en a aussi qui sont plus proches de cet autre Dieu ; qu'il est peut-être plus facile de le découvrir là où ils vivent, au milieu des grands silences de la forêt, dans les fleuves interminables et isolés qui la traversent, dans les couchers de soleil semblables à des effroyables volcans en irruption, dans la pauvreté qui a besoin de bien peu pour ne pas être malheureuse. Un Dieu au-dedans de nous, proche de leur souffrance qu'on ne saisit pas parce qu'elle est loin, et parce que, dans cette partie du monde, on croit que souffrir est plus consubstantiel pour le pauvre que pour le puissant.

Pensées interdites sur Dieu

Si, dans ce livre, j'ai cherché à esquisser quelques lignes de ce que pourrait être pour quelques-uns le Dieu de l'an 2000, j'entends présenter dans les pensées interdites qui vont suivre certaines idées sur le Dieu que j'ai pu personnellement concevoir, sans violenter ma conscience et sans me sentir écrasé ou humilié par son existence.

Le Dieu contradictoire des athées

Certaines personnes ne croient pas, parce qu'elles pensent que Dieu est inutile. D'autres pensent n'avoir aucun besoin de Dieu pour continuer à vivre heureux. Et il y en a aussi qui décident de le combattre parce qu'ils le considèrent comme dangereux et aliénant. Il est certain qu'en définitive l'athée est le meilleur propagandiste de la possibilité de l'existence de Dieu. Personne ne cesse de croire en quelque chose qu'il considère comme absurde ou impossible. Seul l'amoureux peut savoir ce qu'est la jalousie et seul le suicidaire connaît la réalité de la vie. Nier l'existence de quelque chose ou de quelqu'un suppose d'abord la possibilité de son existence. Personne ne cesse de croire en rien. Tant qu'il y aura un athée dans le monde, tous ceux qui souffrent devront craindre que Dieu puisse exister ; et quiconque résiste à la pensée que tout le créé puisse être le fruit de l'absurde et du pur hasard pourra se réjouir. Dieu commencera à être une pure hypothèse quand le dernier athée de la terre disparaîtra, car un monde peuplé uniquement de croyants serait la démonstration que Dieu est trop évident, et donc inutile ou banal. Dieu doit être tellement différent de tout qu'il y aura toujours des gens qui pensent et affirment que c'est impossible.

L'offense faite à Dieu est un acte de foi en lui

Il existe des croyants qui souffrent chaque fois qu'ils entendent un blasphème contre Dieu. Comme l'athéisme, le blasphème ou les poings levés contre le ciel sont un acte de foi en Dieu. Personne ne fait injure à quelque chose ou à quelqu'un en qui il ne croit pas. C'est un acte de foi fait avec rage. Une demande d'aide. Une récrimination contre Dieu parce qu'il ne nous aide pas comme nous voudrions. La plus grande injure contre Dieu, ce n'est pas le blasphème, mais l'oubli, l'indifférence, le silence. Se fâcher contre quelqu'un est la meilleure façon de le reconnaître. Personne ne fulmine contre ce qu'il méprise. Quand, dans une école d'enfants abandonnés, le psychologue a voulu en finir avec les châtiments, les enfants se soulevèrent contre lui. Pour ces enfants, être châtiés voulait dire sortir de l'anonymat, reconnaître qu'ils existaient. L'un d'eux, la nuit, cassait les téléphones. « Tu ne comprends pas que le téléphone est quelque chose d'utile pour tous ? » lui disait le directeur. « Mais pas pour moi, parce que personne ne m'a jamais appelé au cours des neuf ans que j'ai passés ici. C'est pour cela que je les brise. » Le blasphème disparaît

lorsque la foi ne devient plus nécessaire. Jésus Christ « blas-
phéma » sur la croix, parce qu'il croyait que Dieu l'avait
injustement abandonné. Judas se pendit parce qu'il croyait
en Jésus et qu'il l'aimait.

On ne peut que faire l'expérience de Dieu

Depuis des siècles, les philosophes et les théologiens ont
discuté pour savoir si on peut rejoindre Dieu par l'intelligence ou par le cœur; s'il est possible de le penser, de
l'imaginer et de le sentir; si on le cherche ou le refuse par
la logique ou par le paradoxe. Parfois, toi aussi, tu auras
réfléchi pour savoir si c'est la raison ou le sentiment qui
crée les mythes. Crois-tu que nous pouvons séparer les
cellules cérébrales des fibres du cœur où, disons-nous —
faussement d'après moi —, résident les sentiments? Je
pense que si Dieu existe il n'est pas possible de le penser
ni de l'imaginer, mais peut-être seulement d'en faire l'expérience. Je crois que ce devrait être une pensée interdite,
non transférable. Plus une douleur profonde qu'une fête :
un vide qui blesse, un rien qui fait tressaillir, une folie
inconfessable. Plus une nuit qu'un jour. Ce ne peut être
qu'un rêve éveillé, une douce chimère. Sans aucun doute,
une question, et une question essentiellement sans réponse.
Dieu ne peut être qu'un point d'interrogation. Et celui qui
a l'outrecuidance d'éliminer une telle interrogation ne peut
être qu'un fou, un inconscient ou un grand saint.

Dieu est autre

Je ne me souviens pas si tu étais avec moi le jour où un
chauffeur de taxi à Rome m'a dit ce que j'ai déjà raconté
plus haut: si Dieu existe, il devrait mourir de honte. La
vérité, c'est que ce chauffeur de taxi se mourait de honte
en voyant ce qui se passait, précisément parce qu'il n'était

pas Dieu. Et il n'y a pas que ce chauffeur de taxi qui pense de cette façon.

Certains grands écrivains ont affirmé qu'après les camps de concentration, comme celui d'Auschwitz, il n'était plus possible de croire en l'existence d'un Dieu. Ils disaient la même chose que le chauffeur de taxi : si Dieu existait, il aurait perdu la face de honte pour avoir permis cet enfer. Le Dieu qui n'intervient pas pour arrêter la main d'une folie furieuse, d'une injustice sans scrupules, d'une souffrance qui s'acharne contre les plus innocents et ceux qui sont les plus sans défense, est un Dieu qui ne peut pas exister, affirment-ils. Moi, au contraire, je crois que tous les Auschwitz de l'histoire, même s'ils ne prouvent certainement pas l'existence d'un Dieu, devraient pourtant rendre tout à fait souhaitable son existence, car l'homme ne peut pas se résigner à une humanité capable de se dégrader à un tel point. Il a besoin de racheter les horreurs qu'il accomplit lui-même, dans l'espérance d'une perspective moins sombre. Et une telle espérance doit être différente de celle que notre esprit est en mesure d'imaginer.

Imaginer un Dieu puissant et bon au point d'éliminer le mal du monde par un geste du petit doigt, et d'arrêter notre main assassine chaque fois qu'elle entend répéter le geste de Caïn, ce serait trop commode. Il s'agirait, au maximum, d'un Dieu fait à la mesure des hommes bons, capables d'être horrifiés face à des barbaries. Rien de plus. Non, si Dieu existe, il doit être autre, même si j'ignore comment il serait. Certainement pas comme cela nous plairait. C'est pourquoi je crois que le plus grand péché est de vouloir nommer Dieu, dans la mesure où, s'il existait, nous ne pourrions pas le connaître. Et alors à quoi sert un tel Dieu ? Je ne le sais pas non plus. Mais j'aurais une question à poser à tous ceux qui, depuis les premières lueurs de l'humanité, n'osent pas fermer définitivement l'interrogation sur son existence, ou encore moins sur le désir qu'il puisse exister. Ne serait-ce que pure illusion ?

À la recherche d'un nouveau Dieu

Comme tu le sais, il y en a qui prétendent que l'humanité aurait besoin d'un Dieu nouveau, car celui du siècle qui s'achève a été masqué en raison des atrocités commises par les hommes qui se disaient croyants. Et aussi, parce que les Églises ont présenté aux hommes un Dieu bien trop rancunier, jaloux et effrayant. Un Dieu inutile, parce que ne servant pas à créer le bonheur. Comment pourra être le Dieu nouveau de l'an 2000 ? Il est impossible — nous l'avons montré dans ce livre — de l'imaginer, car chaque période de l'histoire crée les dieux qu'elle désire adorer, ou aimer ou renverser de leur piédestal.

En causant avec une jeune fille comme toi, je pense qu'il est facile d'imaginer que les nouvelles générations préféreraient un Dieu capable d'avoir pitié, amoureux des choses, en mesure de lire le langage occulte des pierres qui, sans rechigner, supportent chaque jour le poids de nos piétinements. Le Dieu des réalités infimes et insignifiantes, le Dieu vulnérable qui ne s'occupe pas des pardons parce qu'il ne se sent jamais offensé. Comme celui que cherchait de nuit, en cachette, le Juif intellectuel, Nicodème. Le Dieu capable de jouer avec les enfants dans une décharge sans ressentir l'horreur des adultes. Le Dieu que nous avons l'habitude de chercher, sans le dire, quand nous courons vers un bonheur qui semble d'autant plus inaccessible qu'il s'approche, comme le doigt de Michel-Ange tendu vers Dieu dans la scène de la création d'Adam. Le Dieu pour qui la vraie esthétique est surtout la valeur que les choses portent en elles. Le Dieu capable de douter, d'avoir peur, tout en demeurant toujours ouvert à l'inespéré. Le Dieu qui nous rappelle comment on doit chercher le divin non pas dans les codes, mais en nous, dans nos rêves et dans nos désirs, dans l'art, dans la mémoire, dans les moments inattendus d'extase, quand quelque chose d'inexprimable par des paroles saoule le corps et l'esprit en nous libérant de la peur même de la mort. Un Dieu qui, au lieu de demander des comptes à l'homme, accepte que l'homme lui demande des comptes. Le Dieu qui scandalise ceux qui se croient bons, et qui fascine les indifférents. Le Dieu que les femmes marginalisées par l'histoire cachent en elles-mêmes, et que les suicidés et les condamnés à mort peuvent regarder de leurs yeux. Le Dieu qui met en crise les religions bureaucratisées, et celui que tous les artistes du monde ont obscurément intuitionné. Le Dieu à l'existence duquel tant d'hommes n'osent pas croire, parce que, s'il était comme on le leur a présenté, il ne vaut pas la peine d'exister. Le Dieu vibrant dans les entrailles de toutes les beautés du créé et dans tous ses mystères et frémissements.

Le Dieu qui n'aime pas la souffrance

Je t'ai déjà parlé de la souffrance et du bonheur. Que l'homme aspire avant tout à être heureux est quelque chose de si évident que seul un idiot pourrait le nier. Comme serait idiot de nier l'évidence que l'homme rencontre sur sa route plus de souffrances que de plaisir, plus d'angoisses et de chavirements que de bonheur, plus de peurs que d'espérances. La chose la plus digne pour une personne est de savoir gérer avec dignité son propre malheur, sans victimisation, comme cela se révèle facile pour attirer la compassion, même si le cœur et ses rêves l'attirent toujours du côté du plaisir. Comment donc imaginer que la chose la plus appréciée de Dieu soit l'homme qui souffre pour se purifier de ses péchés ? Qui a inventé la théorie que la souffrance rachète et mûrit ? Dans un pareil cas, tous les résidents des asiles d'aliénés, tous les désabusés de la vie, tous les citoyens des camps de concentration, tous les humiliés de la terre devraient se sentir libres.

Non, la souffrance estropie, étourdit, paralyse, décourage. Que des personnes soient ensuite capables, avec courage, de sortir du tourbillon de la souffrance sans périr, elles ne le doivent qu'à leur force intérieure. Ce qui ouvre l'âme toute grande, ce qui nous fait voler, créer, croître, mûrir, c'est le bonheur. Le Christ a demandé à Dieu par des hauts cris que s'éloigne de ses lèvres le calice de la souffrance. Quelqu'un peut aussi mourir de bonheur, comme il peut accepter la mort pour rendre les autres heureux ; alors que celui qui se suicide le fait seulement par angoisse, au moment où la balance de son âme ressent qu'il est préférable de mourir plutôt que de continuer à vivre de cette façon, sans bonheur possible.

Les animaux eux aussi sont enfants de Dieu

Je sais combien tu aimes les animaux. L'Église catholique affirme que Dieu ne s'est incarné que dans un être humain. Les théologiens ont discuté de la possibilité qu'il ait pu s'incarner aussi dans d'autres mondes habités, s'il y en a. Ce que les catholiques n'admettent pas, c'est que Dieu aurait pu, sur cette terre, s'incarner dans d'autres créatures qui ne feraient pas partie de l'espèce humaine. Pourtant, une fois, Paul VI, en l'embrassant, a dit à un enfant qui pleurait, désespéré par la mort de son chien : « Ne t'en fais pas ! Tu le retrouveras au ciel. » « Mais l'Église n'affirme-t-elle pas que les bêtes n'ont pas d'âme ? » se demanda alors, horrifié, un cardinal romain.

Parfois, je me suis demandé, de façon provocatrice,

pourquoi Dieu n'aurait pas pu s'incarner dans un animal quelconque ou dans une plante quelconque, ou dans une rivière sans que nous ne nous en soyons rendu compte. Peut-être se serait-il incarné dans une forêt que les Indiens, à cause de cela, vénèrent comme une divinité ? En quelques occasions, j'ai pensé, et tu l'aurais pensé toi aussi, qu'on n'arrive pas à comprendre l'ineffable expression de tendresse ou de profondeur qu'on peut lire, par exemple, dans les yeux d'un chien abandonné, si une incarnation divine ne l'a pas baigné.

Qu'est-ce qui se cache derrière le regard mystérieux, pénétrant, transcendant de certains chats ? Ou dans les yeux de feu d'une mère lionne à qui on veut enlever un de ses lionceaux ? Qui saurait dire d'où vient à l'agnelet qui joue distraitement dans l'herbe ce scintillement des yeux qui évoquent des tendresses perdues ? Il existe dans le monde animal et végétal des énigmes incompréhensibles, des beautés supérieures aux beautés humaines, des sensibilités qui nous dépassent, qui nous font peur ou nous fascinent. Est-ce folie de penser qu'un Dieu bon et mystérieux ait pu s'incarner aussi en eux, qu'il les ait imprégnés d'un charme qui ne finit pas de nous surprendre, nous qui sommes considérés comme fils de Dieu ? Parfois, face à la loyauté, à la fidélité, à la majesté, à la force intérieure, au désintéressement et à l'amour de certains animaux pour leurs semblables, je me demande s'ils ne sont pas aussi, et surtout eux, les vrais fils d'un certain Dieu inconnu ou oublié dont nous sentons profondément le manque.

La théologie me démentira certainement. Mais Jean XXIII n'avait-il pas l'habitude de dire avec humour : « Et si les théologiens se trompaient ? »

Le vide est-il Dieu?

Je ne sais pas s'il t'est déjà arrivé de lire une poésie de Lao Tse, lequel m'a toujours fait réfléchir. On y dit:

> Trente rayons convergent
> au centre de la roue,
> dans l'espace qu'il y a entre eux
> réside l'utilité de la roue.
> L'argile est façonnée en forme de vases.
> C'est dans le vide que se trouve toute leur utilité.
> On ouvre portes et fenêtres dans les murs de la maison.
> C'est par ces espaces vides que nous pouvons l'utiliser.
> Ainsi, c'est dans la non-existence que réside l'utilité
> et dans l'existence, la possession.

En appliquant tout cela à Dieu, pourrait-on dire qu'il est le vide, la non-existence, le rien? Dieu est justement utile parce qu'il est invisible, parce qu'il est le non-être, le vide par lequel nous transitons, un vide d'objets, l'espace où nous vivons, dans lequel nous nous mouvons, ce qui ne se touche pas, ce qui n'est pas occupé par la matérialité, la non-existence des choses. Alors que, lorsque nous voyons, touchons avec nos mains et construisons quelque chose comme la roue, les portes, l'extérieur d'une amphore d'argile, tout cela est le non-utile, l'enveloppe. Comme dans la serrure, où l'important est le trou par lequel peut entrer la clef, c'est-à-dire un vide, quelque chose qui n'est rien à force de ne pas être quelque chose. Ce n'est que dans cette perspective paradoxale qu'il est possible de penser à la possibilité d'un Dieu en qui l'important serait ce que nous ne saisissons pas de lui, ce que nous n'imaginerions pas qu'il soit, comme l'espace vide de la porte est plus important que la porte, parce que sans lui nous nous trouverions emprisonnés dans l'impossibilité de nous mouvoir.

La contradiction de Dieu

Vraiment, je ne sais comment on peut comprendre Dieu par la seule logique. Le paradoxe est l'élément le plus créateur et singulier, celui qui suscite la stupeur ; et Dieu ne peut être qu'un paradoxe. L'évident est l'antithèse de la divinité qui ne peut être que mystère. L'intelligence se façonne dans la contradiction. Ce n'est pas avec la logique cartésienne que se sont développés un Picasso, un Nietzsche, un Kafka ou un Cervantes. Il n'existe pas de littérature sans exagération. Ce n'est que du chaos que naissent la vie et le miracle. Et la divinité, on doit la chercher dans le rien, dans l'absence d'artifices, dans l'obscurité absolue. La lumière est déjà création tangible. Elle prend corps. Seul Dieu est incommensurable, impensable, intouchable. Il est l'Autre. Le vide existant avant la création est le sein infini d'où naît tout ce qui a poids et mesure, condamné à mourir. Seul ce qui n'est pas n'est pas sujet à la mort. L'être est déjà une condamnation à mort. Et seul le retour au vide peut nous redonner l'immortalité. Dans la poésie de Lao Tse, ce qui dure ce n'est pas la porte, ni la fenêtre, ni l'amphore, mais le vide par lequel nous passons et que nous pouvons remplir ou vider chaque fois. Tant que nous nous faisons amphore, nous sommes destinés à éclater, à disparaître. Ce que personne ne peut faire disparaître, c'est le vide qu'elle contenait.

Seul le feu nous purifie

Tous les mystiques de l'histoire ont intuitionné que ce n'est qu'en nous « vidant » que nous pouvons ressembler à Dieu, car, lorsque nous restons remplis, il n'est pas possible de pénétrer dans de nouveaux espaces. Une porte close est immobilisme, paralysie, immutabilité, et donc mort. La lumière ne filtre pas à travers elle. Ce n'est qu'en laissant vide l'embrasure de la porte que nous pouvons pénétrer dans de nouveaux milieux, inconnus ; nous pouvons nous y mouvoir, nous transformer, rencontrer le différent, rechercher le mystère sans être piégés par la matière.

Pour se transformer en lumière et en chaleur impalpables, un tronc d'arbre doit se « vider ». D'abord, le feu le consume, le purifie de l'humidité. Il laisse échapper de la fumée et puis se désintègre jusqu'à se transformer en braise et en lumière. Il a dû se vider, disparaître pour se faire esprit de lumière et de chaleur. Jean de la Croix dit que l'homme aussi doit passer par le feu pour pouvoir se transformer dans la divinité. Le feu doit brûler ce qu'il est. Et pendant qu'il s'embrase, il se sent confus, perdu, suffoqué par la fumée, enveloppé dans les ténèbres. C'est seulement lorsque tout son être sera brûlé qu'il pourra voir la lumière, être lumière et chaleur, quelque chose de neuf qui était emprisonné avant, pris dans sa réalité opaque.

Le principe de la pierre philosophale qui transformait en or ce qu'elle touchait est une métaphore lointaine et païenne de ce mystère de transformation totale en une réalité différente, mais riche et durable.

C'est fou de ne pas vouloir savoir

Parfois j'ai entendu soutenir la thèse qu'on ne doit pas enseigner aux enfants l'histoire des religions parce que chacun doit être libre. Je ne sais ce que tu en penses. Mon point de vue est qu'ignorer l'histoire des religions et ce que signifient leurs mythes, leurs croyances, leurs rites, n'est pas une erreur. Comme l'affirmait Huston Smith, « un esprit bien informé ajoute de l'intérêt au monde qui l'entoure ». L'ignorance n'est jamais positive. Il y en a qui se demandent ce que peuvent dire les religions à notre monde scientifique, sécularisé et technologique, puisque la religion ne peut pas être objet d'expérimentation. Mais alors, ne devrait-on pas faire disparaître aussi la musique, la peinture, la littérature, la danse, le mystère, tout ce qu'on ne peut pas mesurer de manière scientifique ? Ce que personne ne pourra facilement effacer, c'est la fantaisie des humains, leurs rêves éveillés ou endormis. C'est dans ces rêves et ces fantaisies que résident toutes les divinités du passé, avec leurs peurs et leurs fantasmes, mais aussi avec leurs promesses d'immortalité et de bonheur. Méconnaître l'histoire des religions, bien que nous ne communiquions pas avec elles, et que même à l'occasion nous les combattions pour ce qu'elles peuvent contenir d'aliénant, cela veut dire nous fermer la porte à la compréhension de l'art, de la littérature, de la musique, c'est-à-dire de l'autre moitié de l'histoire de l'humanité. Si tu veux faire une expérience, essaie d'éliminer des livres d'histoire et des grands musées tout ce que l'esprit et les dieux ont inspiré, et dis-moi ce qui en reste. Presque rien.

Le mystère de l'amitié

Tu as toujours été très sensible à l'amitié. Une fois que je te demandais comment allait ton fiancé, tu m'as répondu : « C'est mon meilleur ami. » L'amitié porte en elle quelque chose que nous ne réussissons pas à expliquer. C'est quelque chose qui nous plaît toujours, ou que nous aimerions avoir. On voit toujours un ami comme une des choses peu nombreuses qui n'ont pas d'ombre dans la vie. Et s'il est difficile de se fier à quelqu'un, on présume qu'il est possible de le faire avec un ami. Voilà pourquoi la trahison d'un ami est ce qui peut arriver de plus dramatique dans les relations humaines. Toute déception dans l'amitié laisse un fond amer dans l'âme. C'est comme si, à l'improviste, on ne pouvait plus croire en rien, qu'il n'y avait plus rien qui vaille la peine, et qu'il était mieux de se refermer seul sur soi-même. En effet, même si nous savons tous que l'amitié peut avoir mille couleurs et degrés, et que tout ce qui brille dans l'amitié n'est pas de l'or, cependant, nous nous imaginons, au moins dans nos rêves, que l'amitié doit être quelque chose de différent même par rapport aux plus grandes amours. Comme si elle contenait quelque chose de mystérieusement divin qui ne s'explique pas, mais qu'on ressent comme créateur d'une sérénité et d'un bonheur profonds. Quelque chose qu'on ne peut jamais briser. Quelque chose qui est plus que nous-mêmes, car on donne à l'ami le meilleur de soi-même pour qu'il le fasse sien. C'est pourquoi on dit les choses les plus fantaisistes sur l'amitié. Tous les grands penseurs de l'Antiquité l'ont fait et les modernes continuent à le faire. Même la mort, dit-on, perd son visage cruel quand on a goûté dans la vie l'infinie douceur contenue dans une amitié qui ne peut pas mourir. Voilà pourquoi j'ai pensé bien des fois que la divinité, si elle existe, devrait s'appeler amitié. Seul un Dieu ami de l'homme est un Dieu en qui il vaudrait la peine de croire.

Mets uniquement ta confiance dans les sages

Bien des personnes, tu le sais bien, se croient être une divinité, alors qu'elles ne sont que de pauvres idiotes. D'autres, au contraire, t'approchent comme une ombre qui ne veut pas te déranger, et elles sont plutôt pleines de sagesse. Comment les distinguer ? Commence par te méfier de ceux qui croient tout savoir, avoir réponse à tout, ne jamais douter, pour qui le mystère n'est qu'une illusion. Habituellement, ces gens-là ont le cerveau pointu, n'étant pas habitués à contempler la complexité des choses.

La sagesse est exactement le contraire de cela. Elle est observation, capacité d'analyser la pluralité, d'observer les choses dans leur globalité. Est sage celui qui sait voir la réalité non seulement avec les yeux de la raison, mais aussi avec les yeux de la sensibilité. C'est une raison passionnée et une passion intelligente pour tout le créé. Le sage sait combien il est difficile de savoir et par conséquent il réfléchit beaucoup avant de parler et de décider. Et même lorsqu'il l'a fait, il continue à douter, car il sait à quel point il est facile de se tromper à propos des choses et des personnes.

Pour le sage, aucune réalité n'est totalement négative, ni totalement positive, tout est incroyablement mêlé : tant les traces du divin que du diabolique sont imprimées dans les choses et chez les hommes.

Le sage — ne l'oublie jamais — sait espérer sans hâte. Il sait qu'il n'arrivera pas avant le temps en se mettant à courir, et que le meilleur de la vie continue de rester caché dans le dur mystère du cœur des pierres.

Adieu

Je pense que cet ensemble de « pensées interdites » sur Dieu peut te servir au cours du siècle qui frappe à la porte — ce sera le siècle de ton âge adulte — comme une boussole toute petite mais sûre ; non pas parce que tu rencontres Dieu, mais parce que, si tu te décides de le chercher, ne te laisse pas détourner par celui qui cherche à t'offrir des dieux de carton. Dieu — que personne n'a le droit de t'imposer du dehors, t'obligeant à croire — ne peut habiter que dans les profondeurs de ta conscience, au plus profond de tes désirs secrets de réalisation personnelle. Parce que Dieu ne peut pas être différent de ce que ton cœur désire de mieux pour ton prochain.

Méfie-toi toujours de ceux qui te disent que Dieu est plus sévère que les hommes justes. Écoute plutôt ceux qui te parlent de Dieu en te disant qu'il est comme une lumière, parfois aveuglante et parfois imperceptible, qui guide tes pas vers le bien et la paix, jamais vers ce qui est mesquin, vers la cruauté ou la guerre. En cas de doute, écoute-toi avec sincérité. Comme nous l'ont dit les grands saints et les grands penseurs, il est préférable de se tromper en étant fidèle à sa propre conscience que d'avoir du succès contre elle.

Un jour, le pape Jean XXIII — Angelo Roncalli, fils de paysan, et mort sans rien avoir laissé en héritage à sa pauvre famille — passa en automobile devant la synagogue de Rome. À ce moment-là, une douzaine de Juifs sortaient du temple. Le pape ordonna d'arrêter la voiture. Puis, à pied, il se dirigea vers eux et dit: «Je ne sais pas si je fais bien ou mal, mais j'ai eu envie de vous donner ma bénédiction comme père des chrétiens.» Les Juifs reçurent son geste avec sympathie et même quelques-uns l'embrassèrent. Son secrétaire personnel, Loris Capovilla, qui l'accompagnait, me raconta plus tard: «Quand le pape revint à la voiture, il commenta: "Je me demande ce que diraient certains théologiens du Vatican à propos de ce que je viens de faire. Et si c'étaient eux qui se trompaient?"»

C'est justement ce geste du pape qui est à l'origine de ce que je te suggère dans cette lettre: dans le doute, il suivit l'impulsion de sa conscience qui lui demandait à ce moment-là de s'approcher d'un groupe de fidèles juifs, taxés de «perfides» pendant des siècles par l'Église, les tenant pour coupables de la mort de Jésus. Et ce fut précisément ce pape, le plus regretté de tous au moment de sa mort, même des athées, qui a fait enlever cette insulte des livres liturgiques.

Enfin, rappelle-toi qu'il est plus facile de trouver les traces et les vibrations bénéfiques d'un Dieu dans le cratère d'un volcan, dans l'éponge de la mer, dans les yeux d'un animal, non contaminés par l'hypocrisie humaine, dans les atomes d'une pierre, dans le silence des forêts, dans la sonorité des rivières de montagne, dans toutes les aurores et dans tous les couchers de soleil du monde, dans l'immensité des étoiles, plutôt que dans les froides discussions de ceux qui se croient les spécialistes et les patrons exclusifs de la vérité de Dieu. Il est plus facile d'écouter sa voix dans l'abîme du silence et dans la simplicité et l'essentialité de la vie que dans le vacarme des choses vides.

Table des matières

Québec, Canada
1999